PRESSE CLANDESTINE

1940 - 1944

par Claude BELLANGER

ARMAND COLIN

103, Boulevard Saint-Michel, Paris V°

A CHRISTINE

AVANT-PROPOS

> ... Lorsqu'un jour l'historien, loin
> des tumultes où nous sommes plongés,
> considérera les tragiques événements
> qui faillirent faire rouler la France
> dans l'abîme d'où l'on ne revient
> pas, il constatera que la Résistance,
> c'est-à-dire l'espérance nationale, s'est
> accrochée sur la pente à deux pôles
> qui ne cédèrent point. L'un était
> le tronçon d'épée, l'autre la pensée
> française.
>
> Charles DE GAULLE
> à Alger 30 octobre 1943.

Ce petit livre ne saurait avoir la prétention de présenter l'Histoire de la presse clandestine en France durant la période d'occupation de 1940 à 1944. Cette histoire-là sera écrite. De longs travaux sont nécessaires. Ils se poursuivent assidûment, et tous les documents ne sont pas encore réunis. Si l'on songe que l'excellent *Catalogue des périodiques clandestins diffusés en France de 1939 à 1945* établi par R. et F. Roux-Fouillet, et publié par la Bibliothèque nationale en 1954, compte déjà plus de 1.000 titres et que ses auteurs continuent à établir des fiches pour un supplément, on imagine l'extraordinaire puissance que représentent ces feuilles clandestines. Et le propre de la vie secrète de la Résistance étant de n'avoir pas d'archives, bien sûr, il est indispensable d'effectuer de minutieuses recherches, d'interroger de nombreux témoins pour retrouver les faits dans leur complète vérité et pour les situer exactement les uns par rapport aux autres.

5

Ici, l'objet est à la fois plus limité et plus vaste — différent en tout cas. D'une part, le lecteur devra comprendre
le développement de la presse clandestine dans tous ses
aspects historiques et découvrir à grands traits sa naissance, ses étapes, ses luttes, les sacrifices acceptés pour
qu'elle vive et que survive ainsi la pensée libre ; d'autre
part, il devra trouver — ou retrouver — par des textes
ce que fut l'atmosphère d'une époque et tant les événements eux-mêmes que l'état d'esprit des contemporains.

On voudrait répondre à l'objet précis de la Collection
Kiosque en faisant surgir du passé les années de l'occupation, vues sous l'angle de la presse clandestine, et telle
que celle-ci apparaissait alors : aux yeux des résistants
qui l'éditaient, la diffusaient ou bien, simplement, y
puisaient leur réconfort dans le combat ; aux yeux du
public étonné, inquiet et ravi, qui y découvrait la
confirmation écrite des voix de Londres ; aux yeux des
hommes de la France libre, heureux de cette manifestation courageuse de la France opprimée mais non vaincue,
de cette adhésion surgie de l'ombre ; aux yeux du monde,
pour qui la nation française ne devait pas demeurer
silencieuse alors que toutes les forces s'unissaient violem-
ment pour atteindre un jour la victoire ; aux yeux,
enfin, de l'ennemi lui-même, sans cesse à l'affût, impitoyable. La réussite serait de permettre de retrouver en
ces pages les pensées, les espoirs et les craintes de ce
temps-là.

Quand nous parlons de presse clandestine, nous n'entendons que les périodiques et les publications qui y sont
étroitement liées, et non les tracts[1], les affiches[2], les
éditions de livres clandestins au premier rang desquelles
figurent les *Editions de Minuit* qui, de 1942 à 1944,
réussirent l'incroyable tour de force de publier 25 volumes[3].
Nous ne nous occuperons pas directement non plus des
feuilles imprimées sous tant de formes diverses en Angleterre, voire aux États-Unis, et lancées par avion à l'intention de la population occupée[4]. Au milieu de cette littérature extraordinairement abondante, notre objet sera,
répétons-le, limité aux seuls journaux édités par la Résis-

tance intérieure française dans les territoires soumis à l'occupant.

Ces journaux seront de « zone nord » ou de « zone sud » ; nous verrons leurs traits distinctifs et leurs traits communs.

Les uns comme les autres, ils sont dus à des patriotes qui n'acceptent pas la défaite, qui se refusent à la démission de la France.

Cette forme de refus n'est pas du reste particulière à notre pays. Dans tous les pays européens qu'entend dominer l'armée allemande, des publications clandestines surgiront, nées du même besoin et de la même flamme.

Déjà, lors de la première guerre mondiale, la Belgique et les départements envahis du Nord de la France avaient connu des feuilles clandestines. La plus célèbre est *La Libre Belgique*[5], à l'épopée glorieuse — et une « nouvelle série de guerre » recommencera à paraître le 15 août 1940, donnant comme signataire : « Peter Pan, Jardin d'Egmont, Bruxelles », et comme adresse d'imprimeur : « Bruxelles, Oberfeldkommandantur, 1 place du Trône »[6]. Mais alors, en 1914, à peu près sans exception, toute la presse s'était sabordée à l'arrivée des envahisseurs. Les autorités d'occupation n'avaient eu d'autre ressource que de créer des organes nouveaux dont chacun savait, telle *La Gazette des Ardennes*[7], qu'ils étaient publiés par l'ennemi.

Cette fois, au moins en France, hélas, il n'en avait pas été de même.

Les clandestins avaient donc un double objectif : renseigner, informer, en complément des émissions radiophoniques — « Ici, Londres... » — dont le rôle fut si important ; et combattre les propagandes adverses trop souvent camouflées sous des apparences françaises. Jamais encore, dans le monde moderne, la nécessité et la puissance de l'information n'étaient apparues si impérieuses et si redoutables...

Commençons par nous replacer dans le climat des semaines chaotiques qui suivirent immédiatement la « Bataille de France ». Cette évocation[8] nous aidera à mieux comprendre le dégoût et l'élan des premiers résistants.

Café de la Paix, juin 1940.

L'ÉTÉ DE LA DÉFAITE

C'est la fin

Toutes les illusions sont tombées. Les « lignes de résistance » les unes après les autres ont été réduites ou ont
été abandonnées : de l'Ailette à la Marne ou à la Seine,
puis à la Loire, et bientôt à la Gartempe... Des millions
de Français sont venus échouer, après un extravagant
et cruel exode, dans les départements du Centre et du
Sud-Est. Des unités armées ont la chance d'y parvenir
aussi. Quel cauchemar en si peu de jours ! Où en est-on ?
Que se passe-t-il ?

Sur huit colonnes, le 17 juin 1940 au matin, voici le
titre : PÉTAIN PREND LE POUVOIR. L'éditorial : « C'est
le miracle qu'attendait la France blessée... » (*Le Nouveau
Journal*, Lyon). L'espoir n'est-il pas perdu tout à fait ?

On ne sait pas que ce même 17 juin, à Paris, tandis que
tous les journaux ont, le 11 juin, quitté la capitale sur

ordre du gouvernement, déjà *Le Matin* reparaît en accord avec les Allemands !

Mais la manchette du 23 juin ne laisse plus de doute : « L'armistice entre la France et l'Allemagne a été signé hier soir à 18 h. 50. — La cessation du feu interviendra six heures après la conclusion de l'armistice avec le gouvernement italien. — Les plénipotentiaires français sont partis en avion pour l'Italie. » (*Le Nouveau Journal*, Lyon).

La nouvelle atterre certains ; elle est un soulagement pour beaucoup, pour le plus grand nombre. Qui était hier, ou avant-hier, venu dire qu'un général à la radio de Londres avait lancé un appel, qu'une « Résistance » continuait ?

Précisément, voici les nouvelles du Conseil des Ministres, dans les journaux du 24 juin : M. Pierre Laval est chargé de la vice-présidence du Conseil, et le Général de Gaulle est destitué : «... Le Général de Gaulle a été destitué à la suite de l'allocution qu'il a prononcée, hier soir, à la radio de Londres. Cette destitution n'exclut pas les autres mesures qui pourront être prises éventuellement contre cet ancien officier général. » C'est sur deux colonnes et en caractères gras à la première page du *Petit Provençal*. Il est donc vrai qu'à la radio de Londres, quelqu'un s'adresse aux Français. Qu'avait-il dit, l'autre soir, ce Général de Gaulle ? «... Cette guerre n'est pas une guerre franco-allemande qu'une bataille puisse décider. Cette guerre est une guerre mondiale. Nul ne peut prévoir si les peuples qui sont neutres aujourd'hui le resteront demain, et si les alliés de l'Allemagne resteront toujours ses alliés... L'honneur, le bon sens, l'intérêt de la Patrie commandent à tous les Français libres de continuer le combat là où ils seront et comme ils pourront. »

Qui croire en vérité ?

Des mensonges

Le Maréchal Pétain lance un nouveau message à la nation que diffusent largement la radio officielle, puis la presse du 26 juin : «... Ce n'est pas moi qui vous bernerai par des paroles trompeuses. Je hais les mensonges qui vous ont fait tant de mal...» Et il affirme que l'honneur est sauf, que « le gouvernement reste libre ; la France ne sera administrée que par des Français... »

L'opinion en est rassérénée. On ne va pas mettre en doute la parole du vieux soldat !

Ce thème du mensonge, d'autres le reprennent à leur tour. Il devait bien connaître ceux de la Troisième République, M. Adrien Marquet, maintenant ministre-secrétaire d'État à l'Intérieur, et il doit avoir raison quand il affirme à son tour : « Les rhéteurs vous ont trompés. Vous avez vécu sur des mensonges. L'heure de la vérité a sonné. » Mais il ajoute dans ce discours du 24 juillet : « Mon devoir est de vous le dire. Si vous me comprenez, nous préserverons au maximum notre sol et notre race. Si vous êtes aveugles et sourds, je conserverai cependant la satisfaction d'avoir accompli mon devoir. »

Des aveugles et des sourds[9] ?

A la une de *La Tribune républicaine* de Saint-Étienne, le 30 juin 1940, une photographie du général de Gaulle frappe les yeux, auprès de ce titre : LA RECONNAISSANCE DU GÉNÉRAL DE GAULLE PAR L'ANGLETERRE. L'information a été donnée à la radio anglaise sous cette forme : « Le gouvernement de Sa Majesté reconnaît le général de Gaulle comme leader de tous les Français libres où qu'ils soient et qui se rallient à lui pour soutenir la cause des Alliés. » Il est au moins audacieux de publier une telle photo !

Les semaines passent. Les éditoriaux sont, visiblement, plus virulents. Il y a eu « l'agression de l'escadre anglaise contre les navires de la flotte française ancrée dans la rade de Mers-el-Kebir », « l'abominable attentat » (*Le Petit Provençal*, 5 juillet). Le « gouvernement français a décidé de rompre les relations diplomatiques avec l'Angleterre ». C'est « la fin d'une amitié » (*Lyon Répu-*

blicain, 6 juillet). Voilà maintenant « les journées historiques de Vichy » ; « des votes unanimes ouvrent la porte à l'ordre nouveau », titre *Le Moniteur*, de Clermont-Ferrand, le 10 juillet. « L'œuvre d'épuration commence », écrit, le 14, le même journal.

« Vers le châtiment »

« Vers le châtiment... Les responsables de l'impréparation du pays, de la guerre et du désastre doivent être jugés », annonce en ouverture *Le Petit Parisien*, imprimé à Aurillac, le 25 juillet, sous la signature de Charles Morice.

Un exemple de la volonté gouvernementale de se faire définitivement obéir est donné le samedi 3 août 1940. Le Tribunal Militaire de la 13e Région, à Clermont-Ferrand, a condamné à mort par contumace l'ex-Général de Gaulle, avec confiscation de ses biens, pour « provocation de militaires à passer au service d'une puissance étrangère » et « désertion à l'étranger en temps de guerre ». En même temps, le gouvernement lance un « dernier avis aux militaires français passés au service de l'étranger » ; s'ils réintègrent avant le 15 août, ils peuvent « bénéficier encore d'une certaine indulgence ». Il est vrai qu'il s'agit d'une « aventure vouée à l'échec », selon *L'Eclaireur de Nice et du Sud-Est* du 3 août.

A peu près dans tous les journaux à la fois, des articles évoquent maintenant « l'invasion de l'Angleterre par les armées allemandes» (*Le Nouvelliste*, Lyon, 23 juillet). N'y a-t-il pas un mouvement en Angleterre même en faveur d'une paix qui serait consenti par l'Allemagne ? On lit dans *Lyon Républicain* du 25 juillet : « Tandis que se développe la bataille aérienne dans le ciel anglais, l'appel pacifique du Führer suscite un courant en sa faveur ». Le grand titre de *La Tribune* de Saint-Étienne, le 1er août, est ainsi conçu : « L'offensive contre l'Angleterre est imminente. De tous les points de la France occupée, les troupes allemandes affluent vers les côtes du Pas-de-Calais, du Nord et de la Belgique ».

Le même journal publie également à sa première page un long « démenti de la radio française aux nouvelles fantaisistes de la radio anglaise »; ainsi qu'une information brève suivant laquelle, à partir du 31 juillet, « tout trafic postal, télégraphique et téléphonique est interdit avec la zone occupée ».

« Il paraît, M. Adhémar, que le Général de Gaulle vient d'être nommé félon. »

Dessin de J. Sennep.

Nouvelles de Paris

La zone occupée, Paris, que s'y passe-t-il ? Jour après jour, des trains franchissent les contrôles de la « frontière » qui sépare en deux tronçons le pays mutilé. « Des milliers de fugitifs », comme dit la radio suisse, « regagnent la capitale française ». Les hommes des unités parvenues en zone sud sont peu à peu rendus à la vie civile. Les familles dispersées se regroupent. Il s'agit de surmonter tant bien que mal le désarroi...

Pour ceux qui n'ont pu encore franchir la « ligne de démarcation » ni « remonter » à Paris, toute information est lue avec une curiosité inquiète et passionnée. Les journaux le savent. *L'Eclaireur de Nice et du Sud-Est* donne, par exemple, le 13 août, « des nouvelles de Paris ». Celles-ci ne sont qu'indirectes, recueillies auprès de voyageurs... Les voici :

« ... Paris est grave, Paris travaille. Beaucoup de
« gens sont rentrés. A certaines heures les passants
« sont nombreux sur les boulevards et les Champs-
« Élysées.

« On a ouvert à la demande de l'autorité occupante
« tout ce qui pouvait être ouvert, même les boîtes de
« nuit de Montmartre où, dès 3 heures de l'après-midi,
« on peut voir des soldats allemands...

« ... Certains cinémas tels que le Marignan sont
« réservés aux Allemands. Les autres projettent des
« films français, américains, cependant que la grande
« firme berlinoise U.F.A. occupe les studios et prépare
« un programme de production.

« Les Allemands semblent avoir une prédilection parti-
« culière pour les magasins où l'on vend des articles de
« femmes : lingerie, parfums, bas, robes, chapeaux.
« Ils achètent et paient avec des marks. Aucune circu-
« lation, sauf celle des voitures militaires.

« Le couvre-feu est sonné à minuit. Tous les établisse-
« ments ferment donc à 23 h. 30. Jusqu'au jour on
« n'entend dans les rues de Paris éteint que le pas des
« patrouilles.

"   Le ravitaillement est normal, bien qu'on fasse la
" queue devant les boucheries, les laiteries.
"   Quant aux restaurants, ils continuent à sauver
" l'honneur de la cuisine française, malgré les restrictions.
"   ... Paris
"   conserve sous l'occupation une admirable
" dignité.

Deux lignes ont été censurées. Le lecteur s'efforce de
les reconstituer, mais le contexte ne le permet guère.

D'étranges journaux

Quant à ceux qui ont obtenu l'*Ausweis* tant souhaité —
et redouté avec ses cachets où l'aigle, méchamment, se
déploie — ils trouvent effectivement un Paris exsangue ;
des troupes vertes y passent en chantant ; l'affreuse
croix gammée flotte sur fond rouge ; partout, des queues
se prolongent. Les éventaires des marchands de journaux,
à la même place qu'autrefois, ont pris soudain un visage
étrange. *Les Dernières Nouvelles de Paris*, *La France au
Travail*, des titres inconnus ! Et qui peut bien publier ces
feuilles mal composées, mal présentées, dont le vocabulaire, par surcroît, est si visiblement peu français ?
Le Matin, on l'a dit, a reparu dès le 17 juin. *Les Dernières
Nouvelles* ont vu le jour le 20 juin... et disparaîtront le
16 septembre. *La France au Travail* (qui, en novembre
1941, deviendra *La France Socialiste*) a sorti son no 1
le 30 juin...
Le style du premier est sans nuances. Un quotidien
sérieux a-t-il jamais surmonté sa page, sur huit colonnes,
de deux lignes de titres ainsi conçues ?

"   LA RÉPONSE DE PÉTAIN, GRAND SOLDAT
"   A M. CHURCHILL, PETIT POLITICIEN
                    Le Matin, édition du soir, 26 juin 1940.

Le second est plus étonnant encore. Il ouvre son numéro du 22 juillet 1940, pour citer celui-là, par un éditorial intitulé mystérieusement : « Paroles sans importance du buisson ardent ». La conclusion est la suivante :

"   As-tu compris, Israël ?
"   Si tes fils, camouflés en nationaux anglais, n'abais-
"   sent ni leurs plumes ni leurs armes, ils seront anéantis
"   avec toutes tes entités, tes slogans et tes termes !
"   Telle est la volonté du Christ social.
"   Alors, l'Allemagne victorieuse et la France invaincue
"   formeront les assises inébranlables du grand peuple
"   Aryen de l'Europe.

Le troisième fait davantage figure de vrai journal ; c'est *La France au Travail* qui s'annonce comme un « grand quotidien d'information au service du peuple français ». Mais le ton de la polémique y règne, en dehors de quelques chroniques que signe, notamment, Titayna. Cet écrivain, le 26 août 1940, évoque « le vrai courage ». Se sent-elle déjà « suspecte », elle aussi ? Elle déclare :

"   Pour faire ce que nous faisons, pour écrire ce que
"   nous écrivons, pour mener notre lutte, il nous faut du
"   courage. Pour prendre la position que nous avons
"   prise, il faut que nous soyons Français et que nous
"   aimions le peuple de France au point de, peut-être,
"   lui sacrifier un jour jusqu'à nos existences, pour que,
"   plus tard, quand il aura compris, il sache que nous
"   avons tout immolé à sa cause.

En tout cas, il apparaît bien, à entendre ce langage, que le peuple de Paris ne soit pas près de comprendre. C'est ce que regrettaient déjà le 23 juillet *Les Dernières Nouvelles de Paris* qui, tout en annonçant que Lloyd George « aurait déjà gagné quarante députés à sa thèse » suivant laquelle l'Angleterre devrait sans attendre « traiter avec les puissances de l'Axe », dénonce les « fausses nouvelles » :

"   L'occupation de Paris par les armées allemandes

« Vous voulez des journaux français, Monsieur ? Vous
repasserez l'année prochaine... »

« Accord, rédigé par des Français et des Anglais,
vous est apporté par nos amis de la R.A.F. Puisse-
t-il vous aider à attendre le jour où reparaîtront dans
tous les kiosques de France, des publications libres »,
octobre 1943.

Accord (Londres), octobre 1943.

17

" date déjà de plus d'un mois. Les Parisiens, un peu
" effarés au début, se sont acclimatés et se sont pro-
" gressivement adaptés à la situation qui leur était
" imposée par les événements. L'apaisement moral
" est la première chose qui compte pour la reprise des
" affaires.
" Pourquoi faut-il alors que la population se laisse
" prendre aux bobards que sèment intentionnellement
" les trublions de tous genres ? On se glisse de soi-
" disant confidences dans le tuyau de l'oreille : « Ce
" sont les Anglais qui ont débarqué à Dunkerque ou
" qui occupent Lille, ou qui ont repris Bordeaux. »
" Insanités pour qui veut réfléchir, mais qui contribuent
" à entretenir un déplorable état d'esprit chez des
" gens dont les nerfs ont été mis à une rude épreuve
" jusqu'au 15 juin dernier.
" Méfiez-vous des fausses nouvelles. Elles n'ont qu'un
" but : empêcher le redressement de la France.

La collaboration

Mais déjà un hebdomadaire s'offre au lecteur, sous la
caution d'Alphonse de Chateaubriant : le premier numéro
de *La Gerbe* est du 11 juillet. Un appel particulier aux
jeunes est lancé le 1er août. « ... Alors, disons-le bien haut,
nous voulons un accord étroit et profond avec l'Allemagne... Il est de toute évidence que le chef de l'Allemagne a été mandaté par la Providence pour pacifier et
réaliser l'unité de notre vieux continent... » C'est signé :
« *Le guide* » (?) Marc Augier.

Le « maître », lui, romancier et penseur, est plus
lyrique encore :

" ...Êtes-vous prêts ?
" Une ère nouvelle est en train de naître ; elle tra-
" verse notre chair, ère de pureté, commandée par
" l'immense rythme de la vie créatrice... Êtes-vous
" prêts ?

18

L'ŒUVRE

L'OEUVRE (2° an.) — Téléphones : ...
DERNIÈRE ÉDITION — 5 H. DU MATIN — UN FRANC
N° 10.042. — Samedi 28 et dimanche 29 août 1943

Dans le Danton de Louis Barthou :
« Danton ne demandait pas qu'on fit la guerre à la manière anglaise, par la corruption, l'assassinat ou le poison. »

Grâce à la Radio et à l'Aviation, la « manière anglaise » a fait quelques progrès.

Malgré leurs pertes en hommes et en matériel

les Bolcheviks ont échoué

plusieurs tentatives de percée

DES CÉRÉMONIES ÉMOUVANTES

pour le deuxième anniversaire

de la Légion

des Volontaires français

Les permissions en France des prisonniers « transformés »

Ceux d'entre eux qui ne sont pas rapatriés accompagnent prochainement la venue de leurs camarades

« LA LÉGION, plus que jamais, détient une partie de L'HONNEUR MILITAIRE FRANÇAIS » déclare M. de Brinon

DEPUIS LE 5 JUILLET
Les Soviets ont perdu 3.203 avions

Une nouvelle fois, hier

la banlieue

a honoré ses morts

Avec les assistantes de police

Pour sauver l'enfant il faut arrêter — la mère —

Condamnation de quinze terroristes

Peuvent être assujettis au service du travail...

LONDRES, WASHINGTON et Moscou reconnaissent le Comité dissident d'Alger

Déshumanisation de la guerre

par **MARCEL DÉAT**

Des « zazous » s'amusaient tout nus...

Le marché noir aux États-Unis

L'Italie crée un Comité national pour la Sicile

CET APRES-MIDI ouverture de

l'Exposition de la Saint-Fiacre

organisée par le Front Social du Travail

avec le patronage de « l'Œuvre »

Des vedettes

Journaux de la collaboration :
Quotidien du matin...

... et du soir.

Puis, le 24 septembre, *L'Œuvre* « reparaît » avec Marcel Déat, dogmatique, enflammé. *Le Petit Parisien* se réinstalle à Paris au début de novembre. Le 1er novembre, *Les Nouveaux Temps* apportent la signature de Jean Luchaire, éditorialiste persévérant du « rapprochement franco-allemand ».

Ce dernier écrit ce jour-là :

"   Désormais, l'ère des hésitations, du doute, des
"   folles chimères est close. Les Français savent que
"   leur chef a décidé : notre pays accepte d'entrer dans
"   la voie droite d'une loyale collaboration avec l'Alle-
"   magne. Aucun retour en arrière n'est plus possible.
"   Aucun double jeu n'est plus tolérable...

Ainsi le Français de zone occupée se trouve-t-il « informé », morigéné, menacé.

Hitler l'avait bien dit à Rauschning[10] dès 1939 : « ... Je serai depuis longtemps en relation avec des hommes qui formeront un nouveau gouvernement, un gouvernement à ma convenance. De tels hommes, nous en trouverons partout. Nous n'aurons même pas besoin de les acheter. Ils viendront nous trouver d'eux-mêmes, poussés par l'ambition, par l'aveuglement, par la discorde partisane et par l'orgueil... Notre stratégie... consistera à détruire l'ennemi par l'intérieur, à l'obliger à se vaincre lui-même... » Et Rauschning complète son récit : « Le seul point important était de dorer la pilule et de la présenter habilement. Il était à la portée du plus médiocre propagandiste de trouver les phrases patriotiques servant d'habillage pour ce genre d'entreprise... Cette démolition d'un pays quelconque par l'intérieur n'était qu'une question d'argent et d'organisation ».

Mais les plans les plus minutieux peuvent se heurter, plus ou moins vite, à des obstacles.

CONSEILS

A

L'OCCUPÉ

~

1 Les camelots leur offrent des plans de Paris et des manuels de conversation ; les cars déversent leurs vagues incessantes devant Notre-Dame et le Panthéon ; pas un qui n'ait, vissé dans l'œil, son petit appareil photographique. Ne te fais pourtant aucune illusion : CE NE SONT PAS DES TOURISTES.

2 Ils sont vainqueurs. Sois correct avec eux. Mais ne va pas, pour te faire bien voir, au devant de leurs désirs. Pas de précipitation. Ils ne t'en sauraient, au surplus, aucun gré.

La première page des « Conseils à l'Occupé », de Jean Texcier.

1940
PREMIÈRES FEUILLES
CLANDESTINES

A voix basse

La France est donc en pièces, physiquement et moralement. Il y a, outre les deux zones, la zone interdite du
Nord, l'Est que l'occupant veut annexer sans attendre,
la France captive dans les camps, l'Empire incertain,
partagé, la France de Londres...

Sous la « correction » apparente — et qui disparaît
vite — le « vainqueur » tient serré, dans sa main rude,
le « vaincu » occupé.

L'inquiétude, l'impatience de certains Français, il
s'agit de savoir si elles vont trouver un support, un moyen

de se consolider, de se manifester réellement. La plupart, au vrai, paraissent déjà s'habituer.

La radio de Londres n'est, il faut le dire, pas tellement écoutée en cet été 1940.

Dans ce moment, seules des initiatives individuelles peuvent jouer leur rôle. Qui, sauf des hommes isolés, tentera jamais, quand tout paraît perdu, de sauver l'essentiel ?

On se réunit alors à quelques-uns, pour parler à voix basse. On ne peut rester sans protester. Comment ?... Il faut agir ; à qui se fier ?

Et puis, les précautions ennemies sont bien prises. La vente des stencils est interdite. Il n'y a plus de vente libre pour le papier ni pour l'encre. Les imprimeries sont, bien entendu, surveillées.

Pourtant...

« Conseils à l'occupé »

Trop de passivité dans Paris retrouvé... « Devant l'atroce spectacle de cette lâcheté et de cet égarement qui rejoignaient la misérable attitude de cette petite ville que je venais de quitter, je décidai de publier sous le manteau un petit manuel de dignité ; ce furent les *Conseils à l'Occupé*, qui, écrits vers le 14 juillet 1940, parurent en août. Ils furent édités, sous forme d'une brochure à la typographie élégante, grâce à mes amis le poète Guy Robert du Costal (déporté en 1944 et mort à la Salpêtrière en mai 1945) et le dessinateur Robert Bonfils, qui me mirent en rapport avec le directeur de l'imprimerie Keller, rue Rochechouart. Ce fut, je crois bien, la première brochure clandestine, et deux mois plus tard j'eus l'heureuse surprise d'entendre Schumann en citer des extraits à la B. B. C. »[11]

Ainsi, plus tard, dans la préface d'*Ecrit dans la nuit*[12], Jean Texcier contera, comme s'il s'agissait de la chose la plus simple du monde, ce qui fut, en fait, la première riposte spontanée et la naissance de la presse clandestine.

Ces propos, légers de ton et si directs en même temps, on devine l'effet qu'ils produisent alors.

"   1. Les camelots leur offrent des plans de Paris
"   et des manuels de conversation ; les cars déversent
"   leurs vagues incessantes devant Notre-Dame et le
"   Panthéon ; pas un qui n'ait, vissé dans l'œil, son petit
"   appareil photographique. Ne te fais pourtant aucune
"   illusion : ce ne sont pas des touristes.
"   2. Ils sont vainqueurs. Sois correct avec eux. Mais
"   ne va pas, pour te faire bien voir, au-devant de leurs
"   désirs. Pas de précipitation. Ils ne t'en sauraient,
"   au surplus, aucun gré.
"   3. Tu ne sais pas leur langue, ou tu l'as oubliée.
"   Si l'un d'eux t'adresse la parole en allemand, fais un
"   signe d'impuissance, et, sans remords, poursuis ton
"   chemin.
"   . 4. S'il te questionne en français, ne te crois pas
"   tenu de le mettre toi-même sur la voie en lui faisant
"   un brin de conduite. Ce n'est pas un campagnon de
"   route.
"   5. Si au café, ou au restaurant, il tente la conver-
"   sation, fais-lui comprendre poliment que ce qu'il
"   va te dire ne t'intéresse pas.
"   6. S'il te demande du feu, tends ta cigarette.
"   Jamais depuis les temps les plus lointains, on n'a
"   refusé du feu — pas même à son ennemi le plus
"   immortel.
"   7. S'ils croient habile de verser le défaitisme au
"   cœur des citadins en offrant des concerts sur nos
"   places publiques, tu n'es pas obligé d'y assister.
"   Reste chez toi, ou va à la campagne écouter les oiseaux.
"   8. Depuis que tu es « occupé », ils paradent en ton
"   déshonneur. Resteras-tu à les contempler ? Intéresse-
"   toi plutôt aux étalages. C'est bien plus émouvant, car,
"   au train où ils emplissent leurs camions, tu ne trou-
"   veras bientôt plus rien à acheter.
"   9. Ton marchand de bretelles a cru bon d'inscrire
"   sur sa boutique : Man spricht Deutsch ; va chez le
"   voisin, même s'il paraît ignorer la langue de Goethe.

....

" 14. La lecture des journaux de chez nous n'a jamais
" été conseillée à ceux qui voulaient apprendre à
" s'exprimer correctement en français. Aujourd'hui,
" c'est mieux encore, les quotidiens de Paris ne sont
" même plus pensés en français.
" 15. Abandonné par la T.S.F., abandonné par ton
" journal, abandonné par ton parti, loin de ta famille
" et de tes amis, apprends à penser par toi-même.
" Mais dis-toi que, dans cette désolation entretenue,
" la voix qui prétend te donner du courage est celle
" du Dr Goebbels. Esprit abandonné, méfie-toi de la
" propagande allemande !

....

" 21. Étale une belle indifférence ; mais entretiens
" secrètement ta colère. Elle pourra servir.

....

" 30. Tu grognes parce qu'ils t'obligent à être rentré
" chez toi à vingt-trois heures précises.
" Innocent, tu n'as pas compris que c'est pour te
" permettre d'écouter la radio anglaise ?

....

" 32. En prévision des gaz, on t'a fait suer sous un
" grouin de caoutchouc et pleurer dans des chambres
" d'épreuve.
" Tu souris maintenant de ces précautions.
" Tu es satisfait d'avoir sauvé tes poumons. Sauras-tu
" maintenant préserver ton cœur et ton cerveau ?
" Ne vois-tu pas qu'ils ont réussi à vicier l'atmosphère
" que tu respires, à polluer les sources auxquelles tu
" crois pouvoir encore te désaltérer, à dénaturer le
" sens des mots dont tu prétends encore te servir ?
" Voici venue l'heure de la véritable défense passive.
" Surveille tes barrages contre leur radio et leur
" presse. Surveille tes blindages contre la peur et les
" résignations faciles. Surveille-toi.

"   Civil, mon frère, ajuste avec soin ton beau masque
"   de réfractaire.
"   33. Inutile d'envoyer tes amis acheter ces Conseils
"   chez le libraire.
"   Sans doute n'en possèdes-tu qu'un exemplaire et
"   tiens-tu à le conserver. Alors, fais-en des copies que
"   tes amis copieront à leur tour.
"   Bonne occupation pour des occupés.

Juillet 1940.

Effectivement, les *Conseils à l'occupé* sont reproduits
de toutes les manières, dans les deux zones. Copiés à la
main, dactylographiés, expédiés sous enveloppe, glissés
dans les boîtes aux lettres, et, on l'a dit, la radio de
Londres les diffuse à son tour.

Jean Texcier les avait écrits au fil de sa plume mali-
cieuse. C'était un esprit indépendant. Formé à l'école
d'Alain, de Guesde, de Jaurès, il avait, durant de longues
années, collaboré à *La Vie socialiste*; il y consacrait
en particulier aux lettres de belles chroniques nourries
d'humanisme. Dessinateur de talent, il avait signé aussi
les excellents portraits illustrant les « Une heure avec... »
de Frédéric Lefèvre dans *Les Nouvelles littéraires*. Ajoutons
qu'il était fonctionnaire du Ministère du Commerce.

En septembre 1940, une seconde brochure, de la même
veine, circule à son tour. Elle a été imprimée dans les
mêmes conditions. Après Mers-el-Kebir, les murs sont
couverts d'affiches bariolées stigmatisant l'Angleterre.
Jean Texcier, lui, intitule ses pages : *Notre combat*. Il
n'hésite pas à lutter contre le courant. « ... Le combat
que mène l'Angleterre contre l'Allemagne, c'est *notre
combat*. C'est encore, c'est toujours celui pour lequel
nous nous sommes dressés à ses côtés en septembre 1939. »
Et la dernière phrase est un appel direct à son lecteur
inconnu : « ... Puisque tu aimes la liberté, arme-toi donc
et combats avec ses défenseurs. »

Jean Texcier, sur cette lancée, ne va plus s'arrêter.
Ces brochures vont le conduire très vite au journalisme,
à *Libération* qui aura publié cent quatre-vingt-dix numéros
lorsque la Libération elle-même sera venue. Qui s'en
douterait en rencontrant cet homme paisible, apparem-

Jean Texcier, chez lui,
aux temps heureux de la liberté.

ment plus rêveur qu'homme d'action, avec son doux
regard bleu, son allure de bohème cultivé ? Mais n'antici-
pons pas.

Jean Texcier
Médaille par J. H. Coëffin.

Clandestin... depuis 1939

D'autres sont depuis longtemps entraînés à l'action clandestine. Ce sont les communistes. Leurs journaux ont été « suspendus » le 25 août 1939, et le Parti dissous le 26 septembre. La signature du Pacte germano-soviétique, à la veille de la déclaration de guerre, et les commentaires qu'en ont fait alors les « officiels » du parti communiste, à la gloire de l'U.R.S.S., ont ajouté encore à la confusion des esprits. *L'Humanité* paraît clandestinement, ronéotée, dès octobre 1939[13]. Elle va continuer d'être publiée de la même façon après la défaite.

> " Depuis un mois que nous vivons sous la botte nazie,
> " où tout s'est écroulé, il n'y a plus d'autre Parti poli-
> " tique que notre grand PARTI COMMUNISTE FRANÇAIS.
> " Tous les autres se sont effondrés dans la honte
> " de Munich, de l'occupation, de la trahison et de
> " l'invasion...

Ainsi débute le numéro du 10 juillet 1940 qui en appelle
à « l'Indépendance » et à « la Renaissance de la France. »

A la deuxième page du n° 58, du 1er juillet 1940, on
relève pourtant l'entrefilet suivant :

> "   PAS POUR L'ANGLETERRE
> " Le Général de Gaulle et autres agents de la finance
> " anglaise voudraient faire battre les Français pour la
> " City et ils s'efforcent d'entraîner les peuples coloniaux
> " dans la guerre .
> " Les Français répondent le mot de Cambronne à ces
> " Messieurs ; quant aux peuples coloniaux ils pourraient
> " bien profiter des difficultés que connaissent leurs
> " oppresseurs pour se libérer. Vive l'indépendance
> " des peuples coloniaux !

Il est difficile de suivre toutes les positions qui sont
prises à cette époque. L'authenticité de certains exemplaires est par surcroît aujourd'hui contestée, soit par le
Parti Communiste lui-même, soit par ses adversaires[14],
sans parler de plusieurs « faux » évidents comme ce
n° « 91 » édité par Doriot dès le 12 septembre 1940
et qui porte en titre : « On nous accuse d'avoir conduit
le peuple à la guerre... »

La manchette du n° 73 de *L'Humanité* du 28 août 1940,
est, autographiée sur le stencil, ainsi rédigée :

> " Des journaux pourris continuent à bourrer les
> " crânes. La presse communiste au service du peuple
> " est toujours interdite. Français ! Demandez la paru-
> " tion libre de *L'Humanité*. Dénoncez, boycotez (sic)
> " la presse vendue au Capital.

Suit un article : « A bas la presse vendue ! »

Et la IVe internationale ?

Qu'en pensent, au fait, les militants ? De mains en mains circule maintenant une autre feuille qui, sous le titre *La Vérité*, se présente comme « organe bolchevik-léniniste » (il adoptera dans un an la formule : *Organe central des comités français pour la IVe internationale*). Le n° 1 est du 31 août 1940. Il pose la question : « Où va le Parti Communiste ? ».

" La crise s'accentue dans le P.C. Des régions entières, " coupées de la direction, s'inquiètent et cherchent " une orientation. De nombreux communistes, res- " ponsables ou simples militants, sont totalement " déconcertés par la politique de l'U.R.S.S...

Un peu plus tard, le même organe écrira :

" HITLER ET STALINE COLLABORENT
" Supposons un instant que l'Allemagne soit en " guerre avec l'U.R.S.S. et que durant ce temps la " France ravitaille Hilter. N'y aurait-il pas là un " sujet magnifique, une riche matière à articles et à " discours pour les Thorez et les Duclos ? Nous voyons " d'ici nos bons apôtres jeter feux et flammes contre " le « capitalisme français à la solde du fascisme. » " Alors pourquoi se taisent-ils lorsque le Chef Staline ' expédie à l'Allemagne pétrole, matières premières, ?» explosifs, denrées alimentaires, etc... Est-ce que le " Père des Peuples ne soutient pas ainsi l'hitlérisme " dans ses entreprises de guerre et de rapine ? Est-ce " qu'il ne fait pas durer ainsi l'oppression qui pèse " sur tous les pays vaincus et au premier chef sur la " France ? Comment concilier cette politique avec " l'attitude des staliniens qui se posent dans notre " pays (depuis l'occupation) en champions de la lutte " pour l'indépendance nationale ? " Nous voudrions un beau numéro spécial de *l'Hu-* " *manité* sur ce brûlant sujet.
La Vérité, n° 11, 1er avril 1941.

« Pantagruel »

Cela, c'est la presse « illégale » de partis organisés.

L'expression de la nation blessée et qui ne veut pas céder, nous allons la trouver dans des initiatives individuelles dues à de petits groupes isolés et sans moyens matériels.

La plus éclatante réussite de ce temps-là est *Pantagruel*, dont le n° 1 est d'octobre 1940.

Il s'agit de quatre pages de format commercial, bien imprimées, à la typographie claire, élégante. Le ton se veut élégant aussi :

"   *Pantagruel* est une feuille d'informations et non
"   de lutte vaine contre l'Autorité occupante. Son but
"   est la diffusion des nouvelles venues d'Angleterre
"   par radio, dont trop de gens sont privés, et en souffrent.
"   Mais il est tout de même nécessaire d'indiquer
"   clairement l'esprit qui l'anime. C'est l'espoir ardent
"   que la victoire de l'Angleterre sauvera la France
"   de la perte de plusieurs de ses provinces, (de) ses
"   colonies, de l'esclavage économique, et de l'inflation
"   forcée.
"   L'Angleterre, ne l'oublions pas, a déclaré que ses
"   buts de guerre comprenaient le rétablissement de
"   l'intégrité territoriale de la France. C'est pourquoi
"   nous souhaitons sa victoire et non l'anéantissement
"   du peuple allemand dont personne ne méconnaît
"   le génie.

L'éditorial ne suffit pas. A la troisième page, un texte est plus direct encore :

"   ... L'éditeur de *Pantagruel* a été, depuis avant
"   1914, un défenseur des Allemands, ses origines
"   alsaciennes lui permettant mieux la compréhension
"   de l'âme allemande. Il a flétri la rancune tenace
"   et bornée contre l'Allemagne impériale, l'ineptie
"   d'un traité inexécutable et les responsabilités par
"   trop unilatérales, l'opposition aveugle contre les

PANTAGRUEL

FEUILLE D'INFORMATIONS.

> «...Jamais ne se tourmentait, jamais ne se scandalisait. Ainsi eût-il été
> forissu du deifique manoir de raison, si autrement se fût contristé ou altéré.
> Car tous les biens que le ciel couvre et que la terre contient en toutes ses
> dimensions ne sont dignes d'émouvoir nos affections et troubler nos sens et
> esprits...»
>
> ...ainsi parlait *PANTAGRUEL.*

No 1   Oct. 1940

PANTAGRUEL est une feuille d'informations et non de lutte vaine contre l'Autorité occupante. Son but est la diffusion des nouvelles venues d'Angleterre par radio, dont trop de gens sont privés, et en souffrent.

Mais il est tout de même nécessaire d'indiquer clairement l'esprit qui l'anime. C'est l'espoir ardent que la victoire de l'Angleterre sauvera la France de la perte de plusieurs de ses provinces, ses colonies, de l'esclavage économique, et de l'inflation forcée.

L'Angleterre, ne l'oublions pas, a déclaré que ses buts de guerre comprenaient le rétablissement de l'intégrité territoriale de la France. C'est pourquoi nous souhaitons sa victoire et non l'anéantissement du peuple allemand dont personne ne méconnaît le génie.

Nous nous efforcerons donc d'éviter toutes critiques haineuses ou acerbes contre les Allemands, par souci de cette objectivité, cette sérénité de jugement que Rabelais recommande dans les quelques lignes qui nous servent d'exergue, et aussi, pourquoi ne pas le reconnaître loyalement, parce que l'attitude de nos ennemis est correcte, souvent même courtoise.

Mais, Français, comprenez bien ceci:

L'Allemand qui vous parle si cordialement éprouve peut-être une certaine sympathie pour la France, c'est le cas de bon nombre d'entre eux. Mais n'oubliez pas que la théorie du *Deutschland über alles* veut que tout soit écrasé, s'il le faut, pour la grandeur de l'Allemagne. Il approuvera sans réserve les conditions de paix draconiennes qui nous seront imposées.

L'Allemagne exige déjà de nous 400 millions par jour de frais d'occupation, soit sept fois plus que nous lui avions demandé en 1918!!! Ceci nous indique l'échelle de ses prétentions?

L'Alsace-Lorraine est un des joyaux de la France. L'Alsacien et le Lorrain sont de culture et de sentiments Français, bien que leur tempérament et leur sensibilité témoignent d'une transition entre les deux pays. Mais pour ceux, peu nombreux heureusement, qu'un tel raisonnement ne saurait émouvoir, rappelons que cette province nous apporte une source de richesses considérables, potasse d'Alsace et acier lorrain entre autres.

Vous n'adoucirez pas les conditions de paix en collaborant avec les Allemands contre les Anglais. Votre meilleure chance est la victoire de l'Angleterre, victoire qui sera suivie d'un règlement général humain et juste de l'ordre européen.

L'Angleterre l'a annoncé et tiendra sa parole.

Pour les antisémites, nous rappellerons cette admirable parole de Goethe: « Les haines de races sont des vices de la populace... » et nous leur dirons que la victoire de l'Allemagne n'aurait aucune signification antijuive. Elle n'aime guère les communistes et s'entend fort bien avec eux lorsque ses intérêts l'exigent. C'est grâce à elle que les communistes français relèvent la tête et reprennent leur propagande. Elle fera de même avec les juifs, au besoin elle installera elle-même en France les juifs allemands. D'autre part, la victoire de l'Angleterre n'aura aucune signification pro-juive comme certaines feuilles de trahison l'insinuent.

Pantagruel n'écrira jamais rien qui puisse être dicté par la haine de l'Allemagne ou la servilité envers l'Angleterre.

" idées nouvelles d'une partie de l'Europe, et le carac-
" tère politique de cette opposition. Mais ce n'est
" plus de tout cela qu'il s'agit, pas plus que de savoir
" si les Anglais méritent notre sympathie, s'ils sont
" égoïstes ou non — oui, ils le sont — mais de savoir
" comment on reconstruira une Europe nouvelle juste
" et viable. Nous ne pouvons pour cela faire confiance
" au rôle directeur de l'Allemagne et de l'Italie...

Raymond Deiss, le premier journaliste clandestin,
d'origine alsacienne en effet, est né à Paris ; il habite
rue Rouget-de-l'Isle et, de ses fenêtres, il voit l'Hôtel
Continental et la garde qui veille sur l'état-major ennemi.
Grand voyageur, cultivé, il était devenu éditeur de
musique[15]. Les textes qu'il rédige, que René et Robert
Blanc — ils devaient être déportés et ne revinrent jamais
d'Allemagne — composent à la linotype, rue Dauphine,
c'est lui qui les tire sur ses presses offset consacrées
jusque là à des travaux musicaux. Jusqu'en octobre
1941 — date de son arrestation ; Raymond Deiss sera
décapité à la hache, dans la prison de Cologne, le 24 août
1943 — seize numéros parurent. Le fils d'un des frères
Blanc, âgé de 17 ans, transportait les exemplaires dans
une charrette à bras. La distribution se faisait notamment par les soins d'un groupe qui avait pris pour nom :
« l'Armée volontaire[16] ». Des envois par la poste étaient
effectués également. A l'un d'entre eux, Raymond Deiss
n'aurait pas manqué, celui qu'il destinait à son voisin
d'en face, le Commandant du *Gross-Paris*.
On lit dans ce même numéro de *Pantagruel* :

" *Pantagruel* est adressé par poste à des personnes
" dont les noms sont relevés au hasard dans des annuai-
" res. Elles n'encourent de ce fait aucune responsabilité,
" et la possession d'un exemplaire n'implique pas une
" adhésion à sa Cause.
" Le but de *Pantagruel* n'est ni la haine ni la révolte
" contre les Allemands, mais simplement le maintien
" de notre droit millénaire de penser par nous-mêmes.

Et aussi, ces conseils :

Raymond
|Deiss.

"   Ne lisez pas cette feuille en public et n'en parlez
" ni aux Allemands ni à leurs amis.

"   Ne croyez rien de ce que disent les journaux de
" trahison et la radio allemande des postes français :
" les faits sont dénaturés ou amplifiés démesurément,
" les chiffres grossièrement exagérés.

"   Le papier est rare... faites circuler *Pantagruel*,
" prudemment, autant que possible par lettre, sans
" nom d'expéditeur. Ne restez plus inertes ou indiffé-
" rents. La France n'est pas vaincue.

Enfin, la dernière page est un vibrant et clairvoyant
appel :

"   Vous, Français inertes et veules, ralliés à nos
" ennemis dans l'espoir ignoble d'en avoir plus vite
" fini, de jouir de nouveau médiocrement de richesses
" misérables, ne lisez pas *Pantagruel*, retournez à vos
" satisfactions dérisoires dont, de toutes façons, vous
" ne jouirez plus longtemps. Elles vous ont privé de
" la divine flamme de l'enthousiasme et plongé dans
" une torpeur dont rien ne saurait plus vous tirer.
" De vous aussi, on dira un jour : « ... ils vécurent
" sans mériter le mépris, ni sans mériter la louange ;
" le monde n'en a gardé aucun souvenir... » Le néant
" a déjà commencé pour vous.
"   Mais vous, Français, héritiers spirituels des millions
" de ceux qui humblement donnèrent leur vie en silence
" pour la grandeur de la Cause française, qui avan-
" cerez, s'il le faut, l'heure fatidique du destin qui
" tôt ou tard doit sonner pour vous, qui vous riez
" courageusement des souffrances que le destin de la
" Patrie veut que vous supportiez, ralliez-vous mora-
" lement au Général de Gaulle, qui seul maintient
" à la face du monde les traditions françaises d'hé-
" roïsme et de respect à la parole donnée.
"   Soutenu par le peuple anglais dont le flegme et
" les résolutions inébranlables sont légendaires
"   IL VAINCRA ! !

Raymond Deiss, tolérant, scrupuleux, n'en parle pas moins, dans son n° 2 — dactylographié celui-là — du 15 octobre, de « l'honnête Maréchal Pétain... » Mais l'illusion ne va pas tarder à tomber.

« L'Arc »

Au même moment, une autre feuille tient un langage très semblable. Vingt numéros d'octobre 1940 à janvier 1941 — de 7 à 8 pages chacun — forment la collection de *Arc* dont le premier numéro est intitulé *Libre France*, qui s'appelle *Arc* au n° 2 puis à partir du n° 8, et qui se réfère à Jeanne d'Arc. « Que l'Arc dont Jeanne a porté le nom soit notre signal. »

Arc est rédigé par un inspecteur général des Finances honoraire qui fut professeur à l'École des Sciences Politiques, Jules Correard. Celui-ci, fondateur en 1921 de la revue *France et Monde*, a signé du nom de Probus maints ouvrages économiques et financiers. Se refusant au silence de la défaite, il réunit autour de lui une sorte de « Comité de rédaction » comprenant Gaston Tessier, Secrétaire général de la C.F.T.C., le pasteur Durrlemann et le colonel Roux que la *Revue d'Histoire de la Deuxième Guerre Mondiale*[17] présente comme étant « d'inspiration positiviste ». Mais c'est lui qui rédige...

Combien ces feuillets sont émouvants dans leur simplicité courageuse ! Ce sont des commentaires de bonne foi. *Arc*, dès le premier numéro, souligne le fait que des patriotes « à Paris ou en région occupée » demeurent ardents, prêts « à faire face à toutes les peines, y compris la mort, pour assurer l'avenir de la patrie ». Ceux-là, « dussent-ils souffrir plus encore, ils préfèrent, s'il y a un chef de l'État, le voir à Vichy qu'à Paris, à Marseille qu'à Vichy, à Alger qu'à Marseille ». Le but de l'Allemagne est en effet dénoncé : « Tous les efforts du gouvernement allemand tendent à diviser la France en plusieurs tronçons » (n° 2). L'espoir demeure pourtant : « Quel réconfort quand nous entendons que l'Afrique Équatoriale Française, bientôt peut-être l'Afrique Occidentale Française recommencent à lutter pour la France... La défaite n'est pas consommée. Sont défaitistes tous ceux qui, par leur inertie, la rendraient définitive. » (n° 3).

Et, dans le n° 8, après cette prise de position sans ambages : « Collaborer, même indirectement, à la propagande ou à l'armement de l'Allemagne est un crime contre la patrie : cela doit être nettement déclaré », quelle apostrophe ! Elle s'adresse à Darlan et à Pétain :

"   ... Il est temps encore ! Amiral de la Flotte !
"   Et vous, Monsieur le Maréchal ! Souvenez-vous
"   de votre passé. Souvenez-vous que vous avez com-

" mandé à des soldats français. Souvenez-vous que vous
" en avez menés à la victoire.

" Que pèseront vos vies et vos places ? Votre dictature
" et votre portefeuille ? Et les intrigues qui s'agitent
" autour de vous ? Et la menace que font les Allemands
" d'occuper un peu plus ouvertement une part un
" peu plus grande de ce territoire métropolitain dont
" la liberté est déjà complètement proscrite ?

C'est aussi un appel à la lutte clandestine :

" ... Un autre devoir qui s'impose à tous est de
" faciliter la tâche d'une minorité agissante et de répon-
" dre à son appel à l'heure inconnue, dans six jours,
" dans six mois ou dans six ans, qui marquera la
" résurrection de la France... Entrez dans cette élite
" si vous avez l'enthousiasme. Sinon, aidez-la (n° 11).

C'est la condamnation des « journaux allemands
publiés à Paris en langue française » (n° 2) :

" Les journaux reptiliens, achetez-les le moins
" possible. Si vous avez besoin d'un renseignement,
" fût-ce pour combattre leurs mensonges, évitez de
" les lire en public. La baisse du tirage de la presse
" parisienne est un des meilleurs indices qui montrent
" à nos maîtres à quel point on est dégoûté du régime
" qu'ils nous imposent ; et, plus ils sentiront en nous
" de résistance, plus ils auront de considération pour
" nous... (n° 13)

Et, tandis que le n° 18 énumère les conditions dans
lesquelles doivent se constituer, de proche en proche,
des groupes d'amis sûrs, on lit déjà en tête du n° 12 :

" Prenez note du contenu de ce papier. Si vous en
" avez le moyen, faites-le reproduire. Communiquez-le,
" à domicile, aux personnes dont il peut éclairer l'es-
" prit ou relever le courage. Ne dites pas d'où vous
" pouvez supposer qu'il vient, mais parlez-en ! Si vous
" êtes prêt à travailler pour la résurrection de la France,

" faites-le savoir ! C'est une minorité agissante qui
" sauvera notre patrie.

Malgré tout, il ne s'agit encore que de quelque 150
à 300 exemplaires multigraphiés.

Du tract au mouvement de résistance

Combien y en eut-il de ces manifestations isolées,
de ces publications éphémères ? Soyons certains que,
de plusieurs, il ne reste aujourd'hui plus de trace.

Le groupe de la rue Logelbach, au siège du « Mouvement des classes moyennes », et d'où va naître l'Organisation Civile et Militaire (O.C.M.), commence à publier
quelques *Lettres aux Français*[18].

Le groupe « Maintenir[19] », également à Paris, est dans
le même cas, avec des tracts qui se veulent périodiques
et qui sont dactylographiés place Saint-Michel. Les
premiers résistants ne prennent pas encore la précaution,
qui sera fréquente plus tard, d'envoyer dès sa parution
un exemplaire de chaque numéro clandestin à la Bibliothèque Nationale ou à la Bibliothèque de Documentation
Internationale Contemporaine ! Et les arrestations ne
permettront pas de sauvegarder longtemps des archives
individuelles bien dangereuses...

D'ailleurs, la différence n'est pas toujours définitive
entre un tract et ce que sera un journal.

Le nº 1 de *Liberté*, daté du 25 novembre 1940, porte
en surtitre la mention : *Tract nº 4*. C'est un petit groupe
qui, à Marseille, autour de François de Menthon, avec
Paul Coste-Floret, Pierre-Henri Teitgen (tous trois sont
professeurs de Faculté de droit) et Rémy Roure qui,
lui, est un journaliste déjà rompu aux courageuses
batailles de la plume, édite ces feuilles polycopiées — le
texte en sera repris, imprimé, dans le nº 3 du 10 janvier

1941. *Liberté* est hostile à toute forme de « collaboration » mais, dans le moment, voudrait encore faire confiance à Pétain. C'est la zone sud.

Tel est le sens de son premier manifeste :

« Nous ne sommes au service de personne ; faisant
« le sacrifice de notre vie aujourd'hui, comme hier
« au combat, nous continuons simplement à nous
« battre pour la France.

« La guerre continue et l'avenir de notre pays dépend
« de son issue. Point de liberté française si l'Allemagne
« de Hitler n'est pas vaincue.

« Rien n'est perdu ; la guerre peut encore être
« gagnée. Nous refusons de nous avouer vaincus, nous
« refusons plus encore d'aider l'Allemagne à nous
« vaincre définitivement. Nous pouvons contribuer
« à la défaite allemande et il n'est pas pour les Français
« de devoir plus impérieux.

« Pétain a refusé une première fois la collaboration
« avec l'Allemagne contre l'Angleterre. Le Maréchal
« doit se sentir soutenu dans sa résistance par la volonté
« française unanime.

« La grande œuvre de rénovation nationale à laquelle
« le Maréchal nous convie n'est possible que dans un
« ardent élan patriotique dans la liberté et la fran-
« chise. En cachant la vérité au pays, en étouffant
« les protestations de la fierté nationale, en chloro-
« formant l'opinion, les services de l'information
« et de la radio de Pierre Laval, Montigny, Tixier-
« Vignancourt, empêchent tout redressement français.

Pour la première fois, nous nous trouvons ici devant un noyau actif d'où tout un mouvement va sortir. Cela se produira souvent. Un journal clandestin naît d'abord, fondé par quelques hommes qui n'ont d'autre but que d'affirmer leur foi patriotique, d'exprimer librement leur conviction, et puis, les équipes de diffusion se multiplient, l'organe de pensée devient un organe de direction. *Liberté* fusionnera à la fin de 1941 avec le « Mouvement de Libération Nationale » et s'exprimera par le truchement de *Combat*.

Les Lettres du général Cochet

C'est en zone sud aussi que le Général de l'armée de
l'Air Cochet lance — en les signant ! — ses appels qui
agitent fort le monde de Vichy. Ses textes audacieux,
qui se succèdent, bravent à ce point les lois, que le régime,
déconcerté, n'ose lui en appliquer tout de suite les rigueurs.
Ses lettres sont répandues en d'innombrables exemplaires,
sans cesse recopiées et transmises. Elles sont légendaires
jusqu'en zone nord...

Voici, par exemple, un extrait du texte daté du 6 septembre 1940 ; il s'agit de réfuter toute possibilité d'accord
entre la France et l'Allemagne hitlérienne :

" ... Mais d'autre part, comment concevoir un
" fédéralisme entre pays aux conceptions juridiques
" et sociales si différentes ? Ce ne peut être que la
" domination pure et simple de la France par l'Alle-
" magne, après lui avoir fait adopter les conceptions
" nazies et l'ordre hitlérien, après l'avoir germanisée.
" Veillons donc d'abord, et avant tout, à ne pas
" créer en France un « ordre nouveau » qui soit une
" copie de l'ordre nazi, mais qui soit français, s'appuie
" sur la civilisation, les traditions, la pensée françaises,
" sauvegarde entièrement les valeurs spirituelles
" françaises...
" Veillons ensuite à ne pas laisser le peuple français
" s'abandonner à la volonté du vainqueur et accepter
" l'asservissement. Lui faire comprendre :
" — Que la France s'est déjà trouvée dans des situa-
" tions tragiques, qu'elle en est sortie, mais non sans
" efforts et sacrifices considérables, et en faisant preuve
" d'une volonté farouche de maintenir une France
" libre et de la restaurer, d'une abnégation totale
" des intérêts et des vies des particuliers devant l'in-
" térêt supérieur du pays.
" — Que plus nous nous montrerons gentils, conci-
" liants, faibles en un mot, plus les Allemands qui
" ont le culte de la force, seront exigeants ; conservons
" au moins ce qui est indéfectible sinon attaquable :

"   la force morale à défaut de force matérielle, la volonté
"   de RÉSISTANCE à défaut de moyens de résister.
"   — Que la force matérielle naît, un jour ou l'autre,
"   de la force morale, comme la volonté de RÉSISTER
"   crée finalement, d'une manière ou d'une autre, les
"   moyens de RÉSISTANCE.
"   — Qu'une grande force morale et une inébran-
"   lable volonté de RÉSISTANCE trouvera toujours des
"   occasions favorables de s'exercer pour ressaisir même
"   une parcelle d'indépendance, de puissance, de pres-
"   tige, de grandeur, de prospérité.

Naturellement, le Général Cochet sera à la fin arrêté
par Vichy et jeté en prison[20].

Plusieurs feuilles datent de cette même époque.
Qu'est-ce que *L'Étendard* qui se définit lui-même
comme « Organe corporatif et de combat des Forces
policières libres » ? Il semble n'y avoir qu'un numéro
portant ce titre en octobre 1940. *La Vérité française*
est éditée à Versailles, depuis septembre...

De l'Est « annexé » au Nord « interdit »

Dans les Vosges, un petit organe autographié — des
instituteurs employaient avant guerre ce mode de reproduction — s'intitule bravement : *France libère-toi !*
Le n° 2, d'octobre 1940, donne au lecteur l'explication
des événements de Dakar où les autorités de Vichy ont
fait accueillir les envoyés du Général de Gaulle à coups
de canons ; il contient aussi un « Appel à la jeunesse
française » qui s'achève par ces lignes touchantes :
« ... Nous vous attendons, mon Général, vous et tous
vos braves, et nous serons heureux d'obéir à un chef
tel que vous. Vive la France libre ! Vive la Jeunesse
française. »
A Strasbourg, Camille Schneider, professeur d'École
Normale et écrivain, lance *L'Alsace* qui porte fièrement
ce sous-titre : *Journal libre*, et qui, devenant *Das Elsass*,

Freie Zeitung à partir du n° 3 (28 février 1941), paraîtra jusqu'au 19 novembre 1944 (n° 37).

On ne peut lire sans émotion ces pages dactylographiées. Le n° 1 est du 11 novembre 1940 :

" ... Bon nombre de nos amis sont restés de l'autre
" côté des Vosges en nous laissant seuls. Des chers
" noms nous manquent... Mais nous restons les gar-
" diens de notre et de leur pays, d'une Alsace qui
" n'est libre que dans nos rêves, qui n'est libre que dans
" nos cœurs et dans nos espoirs. Le gouvernement
" français lui-même semble nous ignorer. Que fera-
" t-on de nous ? Les Allemands nous déclarent que
" l'Alsace sera annexée purement et simplement.
" Où sont les « protestations » de 1871 ? Personne
" ne nous répond à notre appel (sic) !
"   Dans les rues de notre ville, hélas encore bien
" silencieuse, nous passons le long des rangées de
" maisons, nous nous arrêtons au coin pour ne pas
" rencontrer quelqu'un qui puisse nous arrêter. Que
" faut-il se dire en se rencontrant dans la rue ? Faut-il
" rester, faut-il partir ?
"   C'est à tous les amis rencontrés hier que je m'adresse
" ce jour du 11 novembre.
"   Il faut que nous restions en contact ; il faut que
" nous gardions la flamme du souvenir. Tant pis si
" l'on ne comprendra pas, tant mieux si un jour nos
" espoirs se réalisent. Voulez-vous, mes amis, que nous
" serrions les rangs en élargissant notre amitié jusqu'à
" l'amour immense de la Patrie absente ?

Le n° 2 est daté du 20 décembre 1940. Il s'ouvre sur un cri du cœur : « Le Général de Gaulle a dit, le 23 juillet, à la radio : « A moi, les vrais Français de France ! » ... Nous en serons ! »

Viennent ensuite des conseils sur le refus de brûler les livres français, sur les faux renseignements à donner aux « administrations », sur les expulsions (« le rédacteur de ce journal à peine né attend la sienne ; qu'un camarade prenne alors sa place ! »), sur le devoir de fidélité à l'Alsace et à la France...

Dans la zone interdite du Nord, les socialistes Jean Lebas, ancien ministre et maire de Roubaix, avec la collaboration d'Augustin Laurent, lui aussi député du Nord, ont de leur côté fondé un « Bulletin d'informations ouvrières » sous le titre : *L'Homme libre*.

Le premier numéro est daté d'octobre 1940. C'est un petit cahier de douze pages multigraphiées, agrafées à la main dans deux maisons du quartier Saint-Sauveur, à Lille, berceau du socialisme lillois.

Ils en feront paraître six jusqu'en juin 1941. Jean Lebas est en effet arrêté par la Gestapo le 21 mai — il mourra d'épuisement et de souffrances, à 66 ans, en février 1944, dans la prison de Sonnenburg, à 40 km de Berlin.

Alors, Augustin Laurent, devenu le chef du Comité d'Action socialiste pour le Nord, modifie la dénomination du journal qui devient : *La IVe République*, « organe d'action socialiste et de libération nationale ». Cette fois, le titre est imprimé ; une Marianne dessinée y brandit un flambeau.

Stigmatisant « la dictature, toutes les dictatures », dénonçant « le Pacte de Trahison » qui a permis à la guerre d'éclater, affirmant que « le socialisme continue », *L'Homme libre* se présente ainsi à ses lecteurs :

" 	Pourquoi ce titre ? N'est-ce pas une dérision de
" 	parler de Liberté par les jours sombres que nous
" 	vivons ?
" 	En effet, nous n'avons plus de Liberté dans cette
" 	France qui est baillonnée par le Gouvernement
" 	si vil qui a remplacé la 3e République. Mais comme
" 	nos Aïeux, comme tous ceux qui sont morts pour la
" 	Liberté, nous crions « RALLIEMENT ».
" 	Ralliement à ceux qui subissent la Dictature
" 	PÉTAIN - LAVAL et l'occupation allemande, mais
" 	qui ne s'avouent pas vaincus...
" 	... Et c'est parce que nous sommes sûrs de la
" 	victoire, DE LA NOTRE, que nous disons à chacun
" 	d'espérer pour qu'il redevienne « L'HOMME LIBRE».

La région communiste du Nord, elle, publie clandestinement — depuis janvier 1940 — *L'enchaîné*.

LE SOCIALISME CONTINUE.

Ce n'est pas la 1ère fois qu'on
l'enterre!! Après les 35.000 Victimes
de la Commune; après les milliers d'années de bagne infligées à des milliers
de citoyens français, THIERS s'écriait:
"LE SOCIALISME EST MORT" quelques années plus tard, le Parlement comptait
des députés socialistes dont le nombre
n'a fait qu'augmenter.- Le Pays avait
compris que le SOCIALISME NE POUVAIT
ET NE POUVAIT PAS MOURIR.

Aujourd'hui, alors que notre GRAND
PARTI n'es pas dissous comme le souhai
tent nos adversaires, on annonce sa
mort définitive en le chargeant de tous
les crimes et de la responsabilité du
désastre qui n'est que le résultat de
la trahison de ceux qui ont toujours
lutté contre son action pour l'Eman-
cipation du Peuple.

Alors qu'en Angleterre, c'est le
Parti socialiste qui gouverne et résis
te, en France, la Dictature l'écarte!

Mais oui, Camarades, le SOCIALISME
CONTINUERA et montrera que la défaite
était voulue par ses adversaires politiques qui n'ont trouve que la trahi
son devant l'ennemi pour arreter le
flot démocratique qui devalait dans
le pays, pour le grand bien de TOUS.

Nous comprenons bien l'écoeure-
ment actuel des travailleurs mais nous
leur disons de ne pas s'abandonner au
dégout.- C'est ce que souhaite la
Réaction; il faut se raidir contre ce
découragement puisque ce n'est qu'un
recul momentané.- Qu'importe la conduite inexplicable de certains !
Est-ce que l'Histoire Ouvrière n'a pas
toujours connu des profiteurs ! Nous
avons eu des Millerand et des Laval et
tant d'autres mais nous avons en aussi
des JAURES, des GUESDE, des DELORY.

suite au verso.

CAMARADES !

AIDES-TOI EN NOUS AIDANT ET FAIS
CIRCULER CETTE FEUILLE.

SOIS PRET au moment decisif !

NOTRE BUT.

Il est forcément limité, en raison
de l'occupation.- Nous ne pouvons cependant pas supporter l'inaction alors
que sous le couvert d'un Gouvernement
qui n'a obtenu le changement de la Cons
titution que sous promesse formelle
que celle-ci serait soumise au vote de
la Nation dès la libération du Territoire, tous les ennemis du Peuple, du
vrai Peuple de France, démolissent les
réalisations sociales obtenues sous
la 3ème République et surtout depuis
1936.

Il n'est question pour
nous de reconstitution de Parti Politique puisque LE PARTI SOCIALISTE
N'EST PAS DISSOUS, mais ce que nous
voulons, c'est avertir la Classe Ouvrière qu'elle n'est pas abandonnée
comme pourrait le faire croire un
silence qui est imposé par la Dictature actuelle.

Notre but est limité, pour l'instant à alerter nos amis afin qu'ils
colportent des mots d'ordre, des raisons d'esperer, pour qu'ils ne prennent
pas pour argent comptant les 'bobards'
des journaux stipendiés ou enchainés
par des forces de Reaction.

C'est vite dit que la defaite
est le résultat des 40 heures, des
conges payés, des contrats collectifs,
des salaires revalorisés etc... mais
avez-vous vu une justification saine
de ces accusations tendancieuses?
N'avez vous pas vu, au contraire, les
Gouvernements à Direction Socialiste
nationaliser les Usines d'armement,
de constructions aéronautiques, voter
les Credits énormes et indispensables
de Guerre que les événements Interna-
tionaux imposaient; toutes ces décisions étaient nécessaires pour pousser au maximum la résistance du Pays.

Qu'ont fait de tout cela les Chefs
d'industrie et de l'Etat Major ? Vous
tous, qui étiez aux Armées, dans les
Usines de Guerre, rappelez-vous et
réfléchissez surtout!

NOTRE BUT, c'est de provoquer une
COUR SUPREME de JUSTICE qui ne jugera
pas par ORDRE, qui ne jugera pas les
idéologies et les religions.

11 novembre

La première expression ouverte de la Résistance, dans Paris, devait être la double manifestation des étudiants, le 8 novembre, devant le Collège de France, à l'occasion de l'interdiction faite au professeur Langevin de reprendre son cours, et à l'Arc de Triomphe de l'Étoile, le 11 novembre 1940.

Les *Propos de l'occupé* — la troisième brochure clandestine de Jean Texcier — rédigés dans ce mois même de novembre et édités en janvier 1941, racontent :

" ... Le 11 novembre, des jeunes gens et des jeunes
" filles se rendent silencieusement à l'Arc de Triomphe.
" Survient une troupe de petits matamores à baudrier,
" s'intitulant comiquement Gardes Françaises, qui
" saluent à l'hitlérienne le tombeau du Soldat inconnu.
" Nos jeunes patriotes ne peuvent retenir un cri d'indi-
" gnation et entonnent la Marseillaise. Cela suffit pour
" que les Allemands aux aguets foncent avec des
" autos-mitrailleuses sur la vaillante petite troupe
" et tirent sur des adolescents qui chantent.
" Comme leurs camarades de Prague, les étudiants
" de Paris donnent ainsi aux peuples asservis l'exem-
" ple du courage.

Les tracts et appels pour les deux manifestations avaient été multigraphiés par « Maintenir », place Saint-Michel.

C'est l'occasion pour *l'Avant-Garde*, « organe central de la Fédération des Jeunesses communistes de France », qui, comme *L'Humanité*, paraît clandestinement depuis 1939, de commenter :

« *L'Homme libre* » paraît
en zone interdite du Nord.

"   FERMETURE DE L'UNIVERSITÉ
"   Après la fusillade des étudiants qui manifestèrent
"   pour la liberté et l'indépendance de la France le
"   11 novembre, les Universités de Paris et de Dijon
"   sont fermées, le Quartier Latin en état de siège, les
"   étudiants mis en carte comme des prostituées...

Et de conclure :

"   Les brigands de Vichy veulent étouffer la culture.
        Nᵒ 26 du 28 novembre 1940.

L'Université libre, surtout, donnera libre cours à sa
verve vengeresse. Créée en octobre 1940 par Jacques
Solomon, gendre du professeur Paul Langevin, jeune
savant rompu à l'action politique et militant courageux,
avec le concours de Jacques Decour, Frédéric Joliot-Curie,
Pierre Maucherat, Georges Politzer et Langevin lui-même,
cette publication qui sera ronéotée jusqu'à son nᵒ 90
en mars 1944 et sera ensuite imprimée, commence alors
une vaillante carrière.
On lit dans son nᵒ 4 du 25 décembre 1940 :

"   L'Université française résiste à la mise au pas.
"   L'Université française est unie contre ses ennemis.
"   C'est un fait historique que la presse traduite ne peut
"   plus dissimuler. Par leurs menaces, leurs insultes,
"   leurs tentatives de division, ces Messieurs laissent
"   paraître leur inquiétude.
"   La publication de *l'Université libre* a porté un
"   grand coup à MM. Déat, Doriot et consorts. Spécia-
"   listes du mensonge, techniciens de la servitude, ils
"   ne peuvent tolérer un journal qui dit chaque semaine
"   la vérité aux universitaires et les aide à mener sans
"   faiblesse la lutte pour la liberté et l'indépendance
"   de la France.
"   La presse traduite a très bien compris l'importance
"   de notre journal, elle a compris que *l'Université
"   libre* est l'ennemie implacable des valets et des traî-
"   tres. MM. Déat et Doriot, qui ont engagé une polé-
"   mique de pure façade, sont complètement d'accord

"   pour attaquer *l'Université libre*. *L'Œuvre* feint de
"   supposer nos rédacteurs « fort peu universitaires »,
"   tandis que le *Cri du peuple* les traite de « révolu-
"   tionnaires en chambre » qui ne craignent pas d'expo-
"   ser « le sang de leurs élèves ». Ainsi donc le sang
"   de la jeunesse a bien coulé le 11 novembre ? Retenons
"   cet aveu qui contredit bel et bien le communiqué
"   de Vichy.

On aura noté au passage l'expression de « presse traduite » qui définit la presse soumise à l'ennemi.

Daté du 11 novembre 1941, le premier numéro de
L'Étudiant patriote, édité par le « Front National des
étudiants » récemment constitué, lancera un appel
pour que, précisément, ce 11 novembre soit célébré
comme l'anniversaire du 11 novembre 1940.

« Libération »
« Résistance » et l'affaire du Musée de l'Homme.

L'année 1940 ne s'achève pas sans que paraissent
à Paris deux journaux qui auront l'un et l'autre une
grande importance, encore que leur destin soit
dissemblable.

C'est le 1er décembre 1940, à Paris, que paraît le premier numéro de *Libération*, « l'hebdomadaire de la
Résistance française[21] ». Il est dû à Christian Pineau,
fonctionnaire au Ministère du Ravitaillement, et syndicaliste convaincu. Il ne s'agit encore que de sept exemplaires dactylographiés à son service, rue de Verneuil.
Mais, très vite, ces feuilles sont multigraphiées, principalement à la Caisse d'Assurances Sociales « Le Travail »,
rue La Fayette, et ensuite, à la Fédération des Fonctionnaires par l'entremise de Charles Laurent. Plus tard,
ce sera dans une fabrique d'images religieuses, la maison
Norgen, rue du Moulin-Joly, à Belleville.

Christian Pineau, sur le plan syndical, a formé un groupe
décidé à la résistance à l'Ordre Nouveau. Dès l'origine,

49

il a auprès de lui Robert Lacoste. Un « Manifeste du
Syndicalisme français » a été rédigé, et des hommes
comme Gaston Tessier, Bouladoux, de la C.F.T.C.,
Neumeyer, Louis Saillant, Capocci, L. Chevalme, Albert
Gazier, de la C.G.T., l'ont signé.

Mais le journal correspond à une activité bien séparée,
tout à fait secrète. Christian Pineau écrit les éditoriaux
de *Libération*. Son pseudonyme est tantôt « François
Berteval », tantôt, pour les commentaires militaires,
« Capitaine Brécourt ».

Cinq numéros paraissent en décembre 1940. Et *Libération*, tout au long des années d'occupation, va continuer
de paraître, avec régularité, chaque semaine.

RÉSISTANCE... Ceux qui voient, dans ce triste mois
de décembre 1940, en lettres pâles à peine détachées
par le tirage médiocre d'un stencil, ce mot merveilleux
surgi de l'ombre, en ont les larmes aux yeux. Il ne s'agit
que de deux pages multigraphiées recto et verso, de
quatre pages d'un texte aussitôt lu, avidement, et relu
en pleurant.

Le sous-titre est orgueilleux et magique : « Bulletin
officiel du Comité National de Salut Public ».

Que dit ce Comité secret de Salut Public ?

    Résister ! C'est le cri qui sort de votre cœur à
tous, dans la détresse où vous a laissés le désastre
de la Patrie. C'est le cri de vous tous qui ne vous
résignez pas, de vous tous qui voulez faire votre
devoir.

    Mais vous vous sentez isolés et désarmés, et dans
le chaos des idées, des opinions et des systèmes,
vous cherchez où est votre devoir. Résister, c'est
déjà garder son cœur et son cerveau. Mais c'est
surtout agir, faire quelque chose qui se traduise en
faits positifs, en actes raisonnés et utiles. Beaucoup
ont essayé, et souvent se sont découragés en se voyant
impuissants. D'autres se sont groupés. Mais souvent
leurs groupes se sont trouvés à leur tour isolés et
impuissants.

    Patiemment, difficilement, nous les avons cherchés

RÉSISTANCE

BULLETIN OFFICIEL DU COMITE NATIONAL DE SALUT PUBLIC
n.1   15 décembre 1940

Résister! C'est le cri qui sort de votre coeur à tous,dans la détresse où vous a laissés le désastre de la Patrie.C'est le cri de vous tous qui ne vous résignez pas,de vous tous qui voulez faire votre devoir.

Mais vous vous sentez isolés et désarmés,et dans le chaos des idées, des opinions et des systèmes,vous cherchez où est votre devoir.Résister, c'est déjà garder son coeur et son cerveau.Mais c'est surtout agir,faire quelque chose qui se traduise en faits positifs,en actes raisonnés et utiles.Beaucoup ont essayé,et souvent se sont découragés en se voyant impuissants.D'autres se sont groupés.Mais souvent leurs groupes se sont trouvés à leur tour isolés et impuissants.

Patiemment,difficilement,nous les avons cherchés et réunis.Ils sont déjà nombreux (plus d'une armée pour Paris seulement),les hommes ardents et résolus qui ont compris que l'organisation de leur effort était nécessaire,et qu'il leur fallait une méthode,une discipline,des chefs.

La méthode? Vous grouper dans vos foyers avec ceux que vous connaissez.Ceux que vous désignerez seront vos chefs.Vos chefs trouveront des hommes éprouvés qui orienteront leurs activités,et qui nous en rendront compte par différents échelons.Votre Comité,pour coordonner vos efforts avec ceux de la France non occupée et ceux qui combattent avec nos Alliés, commandera.Votre tâche immédiate est de vous organiser pour que vous puissiez,au jour où vous en recevrez l'ordre,reprendre le combat.Enrôlez avec discernement les hommes résolus,et encadrez les des meilleurs.Réconfortez et décidez ceux qui doutent ou qui n'osent plus espérer.Recherchez et surveillez ceux qui ont renié la Patrie et qui la trahissent. Chaque jour réunissez et transmettez les informations et les observations utiles pour vos chefs.Pratiquez une discipline inflexible,une prudence constante,une discrétion absolue.Méfiez-vous des inconséquents,des bavards,des traîtres.Ne vous vantez jamais,ne vous confiez pas.Efforcez vous de faire face à vos besoins propres.Nous vous donnerons plus tard des moyens d'action que nous travaillons à rassembler.

En acceptant d'être vos chefs,nous avons fait le serment de tout sacrifier à cette mission,avec dureté,impitoyablement.

Inconnus les uns des autres hier,et dont aucun n'a jamais participé aux querelles des partis d'autrefois aux Assemblées ni aux Gouvernements, indépendants,Français seulement,choisis pour l'action que nous promettons nous n'avons qu'une ambition,qu'une passion,qu'une volonté:faire renaître une France pure et libre.

                                LE COMITE NATIONAL DE SALUT PUBLIC.

" et réunis. Ils sont déjà nombreux (plus d'une armée
" pour Paris seulement), les hommes ardents et résolus
" qui ont compris que l'organisation de leur effort
" était nécessaire, et qu'il leur fallait une méthode,
" une discipline, des chefs.

" La méthode ? Vous grouper dans vos foyers avec
" ceux que vous connaissez. Ceux que vous désigne-
" rez seront vos chefs. Vos chefs trouveront des hommes
" éprouvés qui orienteront leurs activités, et qui nous
" en rendront compte par différents échelons. Notre
" Comité, pour coordonner vos efforts avec ceux de
" la France non occupée et ceux qui combattent avec
" nos Alliés, commandera. Votre tâche immédiate
" est de vous organiser pour que vous puissiez, au
" jour où vous en recevrez l'ordre, reprendre le combat.
" Enrôlez avec discernement les hommes résolus, et
" encadrez-les des meilleurs. Réconfortez et décidez
" ceux qui doutent ou qui n'osent plus espérer. Recher-
" chez et surveillez ceux qui ont renié la Patrie et qui
" la trahissent. Chaque jour réunissez et transmettez
" les informations et les observations utiles pour vos
" chefs. Pratiquez une discipline inflexible, une pru-
" dence constante, une discrétion absolue. Méfiez-vous
" des inconséquents, des bavards, des traîtres. Ne
" vous vantez jamais, ne vous confiez pas. Efforcez-
" vous de faire face à vos besoins propres. Nous vous
" donnerons plus tard des moyens d'action que nous
" travaillons à rassembler.

" En acceptant d'être vos chefs, nous avons fait le
" serment de tout sacrifier à cette mission, avec dureté,
" impitoyablement.

" Inconnus les uns des autres hier, et dont aucun
" n'a jamais participé aux querelles des partis d'au-
" trefois, aux Assemblées ni aux Gouvernements,
" indépendants, Français seulement, choisis pour l'action
" que nous promettons, nous n'avons qu'une ambition,
" qu'une passion, qu'une volonté : faire renaître une
" France pure et libre.

On regarde encore une fois la signature : « Le Comité
National de Salut Public. »

Et la date : « 15 décembre 1940. »

Bien sûr, il n'est pas vrai qu'il y ait déjà « une armée » de résistants ! Mais quel langage !

Les fondateurs sont Boris Vildé et Anatole Levitsky, deux jeunes savants du Musée de l'Homme, Léon-Maurice Nordmann, avocat à la Cour de Paris, ainsi que les écrivains Claude Aveline, Jean Cassou — qui, dès septembre, a rédigé un tract, tiré par les soins, déjà, de ce groupe du Musée de l'Homme à plusieurs milliers d'exemplaires et intitulé : « Vichy fait la guerre » — et Marcel Abraham, l'ancien directeur du Cabinet de Jean Zay au Ministère de l'Éducation Nationale. Le Directeur du Musée de l'Homme Paul Rivet — l'un des animateurs avec Victor Basch[22], Albert Bayet et Paul Langevin, du mouvement antimunichois de 1938-39 « Paix et Démocratie » — aide le groupe. Jean Blanzat, Jean Paulhan s'y associent également.

Les textes sont écrits, rassemblés dans l'appartement des Martin-Chauffier, avenue Henri Martin (Louis est à ce moment en zone Sud ; c'est Simone qui reçoit), puis chez les éditeurs Albert et Robert Émile-Paul, rue de l'Abbaye, sous le couvert d'une association littéraire, le « Cercle Alain-Fournier »... Dactylographiés par Agnès Humbert, du Musée des Arts et Traditions Populaires, ils seront multigraphiés d'abord au Musée de l'Homme, ensuite chez Jean Paulhan, rue des Arènes.

Ce n° 1 contient encore une analyse de la « situation militaire », des nouvelles de France... et un couplet de la Marseillaise.

Dès le 30 décembre 1940 paraît le n° 2. Il commence par un appel à la discipline :

" ... Donc, *pas d'actions dispersées, pas de gestes*
" *isolés.* Faites confiance à vos chefs. Ne vous impa-
" tientez pas. Vous avez tous beaucoup à faire dans
" le cadre qui vous a été assigné.

Suivent : des commentaires sur les motifs d'espoir qu'apportent malgré tout les événements des six mois écoulés, un récit des journées au cours desquelles Pétain fut amené à écarter Laval du pouvoir, des informations

consacrées à la politique, au pillage de la France par
l'Allemagne, à l'antisémitisme, à l'Alsace où les jeunes
hommes vont être incorporés de force dans l'armée
allemande... Déjà, voici une « revue de presse » intitulée
Dans la presse illégale avec une citation du n° 4 de *Pantagruel*. Et le numéro, de six pages cette fois, s'achève
sur... un autre couplet de la Marseillaise !

Le n° 4 qui sera, hélas ! le dernier, portera la date
du 1er mars 1941.

"   Il faut nous le dire et nous le répéter sans cesse en
"   nous-mêmes : la résistance du peuple français opprimé
"   devient un facteur de plus en plus puissant dans la
"   lutte mondiale de la liberté,

lit-on dans l'article de tête.

"   L'Allemagne de plus en plus a besoin de la France.
"   C'est-à-dire d'une France asservie et résignée à son
"   asservissement, une France trahie et consentante
"   à sa trahison, une France qui se renie volontairement,
"   s'humilie et se complaît dans son reniement et humi-
"   liation, une France qui veut bien s'accepter allemande.
"   ... C'est dans la sourde et muette attitude du
"   peuple français qu'apparaît cette volonté...

Ici, ce qui est alors l'attitude de la plupart des Français
en face des événements n'est pas surestimé. Nous n'en
sommes qu'aux débuts de la lutte. Encore fallait-il
que quelques-uns montrent l'exemple et que des voix
s'élèvent du silence de l'oppression.

En janvier 1941, Nordmann est arrêté — *Le Matin*
l'a annoncé en première page — « pour diffusion du
tract *Résistance* ».

En février, c'est Levitzky et Yvonne Oddon, bibliothécaire du Musée de l'Homme, qui sont arrêtés à leur
tour. Pour continuer la publication, appel est fait à
Pierre Brossolette... D'autres arrestations, qui seront
suivies de dix condamnations à mort et, le 23 février
1942, au Mont Valérien, de l'exécution des sept hommes

condamnés, déciment alors le groupe[23]. Ce fut ce qu'on appela dans le moment même « l'affaire du Musée de l'Homme ».

Des patriotes, parmi les premiers, disparaissaient tragiquement.

La flamme de la Résistance, du moins, ne s'éteindrait pas.

VALMY

NOTRE DEVISE:
Un seul ennemi,
l'envahisseur

CERTITUDES.

Six mois se sont écoulés depuis
que la France a mis bas les armes et traité avec l'ennemi, au
mépris des engagements contractés.
On peut, aujourd'hui, dégager de
l'histoire inachevée de la guerre, XI)

D'abord l'armistice n'a pas sup-
primé l'état de guerre.

C'est un régime de guerre que
l'on impose aux 2 millions de
Français retenus prisonniers c'est
un régime de siège que l'on fait
subir à la France occupée c'est un
régime de protectorat militaire
que l'on fait sentir à la zône dite libre.

On a prétendu traiter avec l'ennemi était une n cessité. L'exp rien-
ce prouve le contraire. NORVEGE,
HOLLANDE, BELGIQUE entièrement
envahies, ont continué la lutte sur
mer ou dans les vastes territci-
res coloniaux. Leur sort n'est pas
plus dur que le nôtre. Si la flotte
française, si les armées d'outre-
mer n'avaient pas abandonné, sur
ordre, le combat, si elles avaient
été fidèles à l'alliance et à l'hon
neur, la Méditerranée serait aujourd'hui, arrachée à l'ennemi le
vautour italien aurait le bec bri-
sé. Mussolini cacherait sa honte.
Est-ce cela qu'on a voulu éviter ?

Autre certitude : la conjonc-
tion, désormais éclatante, de toutes les
orces du monde anglo-saxon:
Grande Bretagne, Dominions, Etats-
Unis jointes à tant d'autres forces en guerre ou en réserve as
sure l'effort libérateur de centai
nes de milions d'êtres humains,
décidés à mâter la Tyrannie, à
rendre aux peuples soumis et
pillés l'espoir en un monde sup
portable aux vivants.

Allemands, Japonais, Italiens, ne bri-
seront pas cette force naissante,
dont le dynamisme croit au moment où l' xe plie sous les coups
portés ce Grèce ou d'Egypte, où
son acier se ronge dans le sol
de la Chine.

Et vous, Français vo s n'avez plu
le choix. Accepter de défendre
un ordre qui n'est autre que le
désordre de la misère sans fin
accepter comme définitive une
défaite transformée en reddition
par des hommes ennemis de la
liberté et avides de pouvoir, vous
ne le voulez pas.

Vous savez que la Démocratie
n'est pas morte. On a pu la trahir ou la souiller. On ne l'atta-
quera plus, désormais, sans risques
car elle forge ses armes dans
plus puissant arsenal du mon

VALMY

quelques résultats acquis

1941
LA RÉSISTANCE
S'ORGANISE

Les premiers résultats

« Six mois se sont écoulés depuis que la France a
mis bas les armes et traité avec l'ennemi, au mépris
des engagements contractés... » ainsi commence le premier numéro de *Valmy* de janvier 1941.

Six mois...

La France vient d'observer, le premier janvier, « de
14 heures à 15 heures pour la France non occupée ; de
15 heures à 16 heures pour la France occupée », l' « immense plébiscite du silence » auquel de Gaulle l'a conviée
par son appel lancé au soir du 28 décembre[24].

C'est le signe que, de plus en plus, la radio de Londres est entendue.

Et des missions de la France libre sur le sol français — après Remy qui s'y maintient durant dix-huit mois — vont maintenant multiplier, préciser les contacts. C'est d'Estienne d'Orves parti d'Angleterre à la fin de décembre 1940, mais arrêté dès le 21 janvier 1941 — il sera fusillé au mois d'août. C'est, en janvier, la seconde mission Fourcaud (il sera arrêté en septembre) et, en février, la seconde mission Saint-Jacques. C'est le parachutage de Forman près de Vannes en mars et, le même mois, la mission Alaterre débarquée en Bretagne... En avril, pour la première fois, des agents envoyés en France sont « récupérés » par sous-marin. En mai, c'est le parachutage près de Châteauroux du premier agent attendu au sol par la Résistance, Begue, qui passe aussitôt son premier message radio à Londres, mais qui sera arrêté par Vichy à la fin d'octobre. Ce sont, en juin, le premier parachutage de matériel et, en septembre, le premier atterrissage d'un Lysander. En octobre, Jacques Mansion accomplit sa troisième mission.

« Valmy » à Londres

Des résistants vont d'autre part faire le chemin inverse de celui qui amène en France envahie des agents de la France libre ; il en part vers Londres, au prix de redou- tables périls. Ne citons que le Colonel Georges Groussard, en juin, et Jean Moulin, en septembre (on sait le rôle joué en particulier par ce dernier dans la constitution ultérieure du Conseil National de la Résistance)... Et encore Paulin Bertrand, dit « Simon », qui avait été l'un des animateurs de *Valmy*, avec Raymond Burgard.

Jean Crémieux-Brilhac a raconté cette arrivée à Londres :

"   ... Dans l'hiver 1941-1942, Paul Simon, sur le
"   point d'être arrêté par la Gestapo, fut ramené à

" Londres à la faveur d'une opération maritime sur
" la Côte de Bretagne. Il avait été de janvier à octobre
" 1941 le rédacteur en chef, l'imprimeur et le respon-
" sable de la diffusion de *Valmy*. C'était un petit homme
" à la physionomie cordiale, vivant, plein de bagout,
" brave type et coléreux, Mutilé de l'autre guerre,
" doctrinaire de l'objection de conscience jusqu'à
" Munich, il avait découvert avec stupeur qu'il était
" patriote quand il avait vu les Allemands dans Paris.
" Dès l'automne 1940, il confectionnait et collait sur
" les murs des papillons :

"   UN SEUL ENNEMI, L'ENVAHISSEUR
"   ou :

"   L'ASPIRATEUR HITLÉRIEN
"   VIDE LE PAYS EN MOINS DE RIEN.

" On fit parler Paul Simon (ce n'était pas difficile) :
" et soudain, c'est l'Anglais moyen qui, grâce à lui,
" se trouva complice de la résistance intérieure fran-
" çaise. Trente-cinq villes d'Angleterre l'invitèrent
" successivement à raconter en conférences publiques
" comment il avait fait *Valmy*. Paul Simon est mort
" depuis ; j'ai retrouvé par hasard le texte de sa confé-
" rence, elle était simple et, pour un auditeur anglais,
" bouleversante.
" Les deux premiers numéros, disait-il, ont été
" faits à l'aide d'une de ces imprimeries-jouets qu'on
" offre aux enfants, où des caractères en caoutchouc
" sont placés dans un petit composteur de 4 lignes.
" Le premier numéro tiré à 50 exemplaires, et corrigé
" à la main, a demandé un mois de travail, de fin
" décembre 1940 à fin janvier 1941. Le titre était fait
" au pochoir ; c'est dans la salle à manger que se faisait
" le travail...
" Pour le second numéro nous avons manqué d'encre
" à tampon. C'était un grave problème, car il aurait
" fallu demander un bon au Commissaire de Police
" pour acheter de l'encre...
" Le troisième et le quatrième numéros ont été
" tapés à la machine.

" En mai et juin, nous avons tiré nous-mêmes 500
" et 2.000 exemplaires des nos 5 et 6, avec un stencil
" et un rouleau. Nous avons de nouveau manqué d'encre,
" nous sommes allés en chercher dans des bureaux
" allemands.
" Le numéro du 14 juillet sur papier bleu avec des
" raies blanches et rouges a été imprimé dans une vraie
" imprimerie. Celui d'août également...
" Nous avons préparé un exemplaire pour octobre.
" Mais ce numéro n'a pu être distribué. Il a fallu le
" brûler par suite d'une soudaine alerte. Nous n'avions
" plus d'imprimeur pour novembre. Le nôtre avait
" vendu son fonds. Nous en avons trouvé un autre,
" mais un beau jour la fille de l'imprimeur, épouvantée,
" est venue nous menacer de nous dénoncer.
" Nous avons décidé de revenir à l'ancien procédé.
" Le numéro devait paraître un samedi après-midi,
" avant Noël ; le vendredi, j'ai su que l'on allait
" m'arrêter.
" *Valmy* était mort et bien d'autres étaient morts
" avec lui[25].

« ... Vous savez que la Démocratie n'est pas morte »,
avait affirmé *Valmy* en conclusion de son premier article
de tête. « On a pu la trahir ou la souiller. On ne l'atta-
quera plus désormais sans risques, car elle forge ses armes
dans le plus puissant arsenal du monde ».

Et en deuxième page, ce slogan qui répond au triptyque
officiel :

" L'ORDRE NOUVEAU
" TRAVAIL forcé
" Loin de la FAMILLE
" Contre la PATRIE.

Une autre formule fait écho, dans le no 2 de février
1941, au « Radio-Paris ment ; Radio-Paris est allemand »
lancé à Londres :

" Radio-Vichy ment
" Radio-Vichy serait-il allemand ?

« Les Français parlent aux Français. »
De gauche à droite : Jean Marin, Jacques Duchesne, Pierre Bourdan,
Maurice Schumann, Jean Oberlé - Dessin de Jean Oberlé.

Résistance à l'oppression

Dans le nº 3, de mars 1941, après un éditorial contre
Darlan, des citations de Gambetta et de Poincaré, ces
« *Commandements* » :

"   La B.B.C. écouteras
"   Chaque jour avidement.

"   Radio-Paris laisseras :
"   Car il est boche assurément.
"   Avec de Gaulle te battras,
"   Au grand jour du débarquement.
"   Ceux de Vichy mépriseras
"   Et leurs propos avilissants.
"   Laval, Déat, tu châtieras
"   Et leurs complices mêmement.
"   Et quand leur tête on coupera,
"   Tu danseras joyeusement.
"   La Carmagnole chanteras
"   Quand crèveront tous les tyrans.

Ce texte mérite également d'être retenu :

"   CE QUE VEULENT LES JEUNES
"   Une Patrie libre, débarrassée des trusts comme
"   de toute influence étrangère, dans laquelle chacun
"   vive par le travail et où il ne soit plus nécessaire
"   d'être traître ou profiteur pour être puissant.
"   Une Europe où les rapports entre individus soient
"   ceux d'hommes libres ; où tous les peuples, davantage
"   préoccupés de beurre et de blé que de canons, coopèrent
"   à la restauration pacifique de l'idéal humain souillé
"   par l'exploitation capitaliste ou nazie.

Valmy porte désormais en manchette : « Organe de
la résistance à l'oppression. »
L'éditorial du n° 5 de mai 1941 a conservé tout le
frémissement de la colère et du dégoût qu'il exprime.
Il est intitulé :

"   DE L'HONNEUR
"   Il y a une logique de la capitulation, comme il y
"   a une logique de la conquête ou de l'ambition. Quand
"   on a décidé de venir au secours du vainqueur et de
"   l'aider à compléter sa victoire, on s'impose par là-
"   même d'accentuer à son égard les gestes de soumis-
"   sion, d'asservissement, de bassesse.
"   Ceux qui parlent de la « France éternelle » ne son-
"   gent même plus à défendre ce que la France a de

"   plus précieux : l'honneur français. Et quand ils
"   prononcent le mot d'honneur, c'est pour justifier
"   une ignominie qu'ils ajoutent à leurs lâchetés...

Raymond Burgard, professeur d'histoire au Lycée Buffon, avait participé avant la guerre aux activités « antimunichoises » de « Paix et Démocratie ». Écrivain, il était l'auteur d'un ouvrage sur « l'expédition d'Alexandre et la conquête de l'Asie », ne dédaignant pas de consacrer ses loisirs aux « Éclaireurs de France ». C'est lui qui avait été le véritable inspirateur de *Valmy* qu'il avait fondé en s'entourant de quelques-uns de ses camarades de la « Jeune République ». Il devait être arrêté le 2 avril 1942 et, après les prisons de Fresnes et de Sarrebruck, condamné à mort. Son exécution — à la hache — eut lieu à Cologne le 15 juin 1944.

On retrouvera des collaborateurs de *Valmy* dans l'équipe de *Demain* qui paraîtra plusieurs mois plus tard, tels qu'André Bossin, Henri Féréol, Alcide Morel...

Les Actes de la France

La livraison du 15 août 1941 de *La France libre*, la revue éditée à Londres par André Labarthe, avait reproduit plusieurs numéros de *Valmy*, deux tracts clandestins : *La guerre continue* et *L'ordre nouveau... de la servitude*, un numéro de *Liberté* (publié, nous l'avons vu, à Marseille), ainsi qu'une photographie groupant un certain nombre de ces feuilles clandestines, passées de mains en mains, pliées, froissées, secrètes et émouvantes... Elle avait fait précéder cette publication de ce texte au milieu d'une grande page blanche :

"   Ici s'arrête *La France libre*, écrite et imprimée
"   à Londres. A cette page commencent d'autres œuvres.
"   Ce sont quelques-uns des tracts et des journaux
"   que les Français rédigent et font circuler en secret,
"   au péril de leur vie. Ce sont des actes de la France

"   qui, sous l'occupation, garde son courage et sa foi.
"   Chaque ligne de ces publications témoigne de la volonté
"   de libérer le sol national. Honneur à ces patriotes
"   courageux ! Honneur à ces innombrables héros
"   inconnus !

1941... Le gouvernement britannique, le 6 janvier, a reconnu le Conseil de défense de l'Empire français créé par le Général de Gaulle le 27 octobre 1940. Le 1er mars, Leclerc assure la prise de Koufra...

La France libre rassemble à travers le monde les territoires sur lesquels flotte encore le drapeau tricolore et participe activement déjà à la guerre.

Et la France blessée, abattue, tenue durement sous le joug, voilà qu'on s'aperçoit qu'elle a gardé en elle la flamme de la liberté.

Sur ces deux forces — si faibles aujourd'hui, certes, mais assurées d'elles-mêmes — tout va pouvoir s'appuyer. Tout, le jour venu, sera sauvé.

Le Mouvement de Libération Nationale

Jeune capitaine évadé, décidé à ne pas accepter la défaite ni l'armistice, Henri Frenay a, dès août 1940, pris des contacts, élaboré un plan d'action. Il donne sa démission de l'Armée le 28 janvier 1941. Il a retrouvé à Vichy Berthy Albrecht qui est son amie depuis longtemps et qui, assistante sociale, est maintenant au Commissariat au chômage féminin. Henri Frenay sait exposer avec autorité ses vues personnelles, le regard bleu posé sur son interlocuteur. Tous deux sont ardents et courageux. Le Mouvement de Libération Nationale créé par Henri Frenay va bénéficier de leurs efforts communs.

C'est Berthy Albrecht qui dactylographie et fait dactylographier autour d'elle un *Bulletin* rédigé par

Henri Frenay. Par le système de la « boule de neige » des exemplaires se répandent. Ils contiennent des nouvelles reproduites d'après la B.B.C. ou la radio de Genève. A ces « Bulletins d'informations », s'ajoutent bientôt des « Bulletins de propagande », eux aussi dactylographiés.

En zone non occupée, Henri Frenay a un ami, Robert Guedon, officier lui aussi. Berthy Albrecht est liée à Jeanne Sivadon, directrice de l'École des Surintendantes d'usines, rue Princesse (entre Saint-Sulpice et Saint-Germain-des-Prés), à Paris. Un noyau s'est ainsi constitué, vite important. Les « Bulletins » sont distribués dans les deux zones.

En tête de ces « Bulletins », une épigraphe bien militaire : « Vivre dans la défaite c'est mourir tous les jours » – Napoléon Ier.

Ces feuillets dactylographiés informent et commentent. Reproduisons à titre d'exemple un extrait du *Bulletin* du 6 mai 1941 :

" La scierie près de Fontaine (Loir-et-Cher) a pris " l'adjudication de 10.000 cercueils pour l'armée " allemande.

" La livraison des usines Renault aux Allemands, " camions et camionnettes neufs, est retardée par " faute de pneus. On en voit de longues files dans toutes " les rues avoisinant l'usine sur chandelles ou bien " les roues jumelles ne possédant qu'un pneu au lieu " de deux.

" On a vu à Paris, au début de mai, les petits pois " affichés 130 francs le kilo.

" ? De nombreux conducteurs de la S.T.C.R.P. " auraient été requis par les Allemands pour conduire " des convois dans les Balkans ; il y aurait eu un nombre " de décès si élevé parmi eux, que les familles auraient " fait faire une représentation à Vichy et demander " des explications au gouvernement ?

" La censure allemande a un dossier complet sur chaque " journaliste avec la liste de tous ses écrits et il " faut avoir l'autorisation pour continuer à publier.

" A Berck, les employés de la Mairie ont été remplacés

65

"   par des Belges nazis à la solde des autorités occupantes.
"   La direction de l'Hôpital maritime (où les petits
"   Parisiens suivaient leur traitement) a demandé
"   aux autorités allemandes de Paris l'autorisation
"   d'évacuer l'Hôpital ; ayant reçu cette autorisation,
"   on allait évacuer les enfants, lorsqu'arriva un contre-
"   ordre de la mairie disant que l'ordre de la Komman-
"   dantur de Paris n'était pas valable et que c'était
"   un ordre de la Kommandantur de Bruxelles qui
"   était nécessaire. Ceci prouve une fois de plus que les
"   Allemands considèrent le Nord-Est de la France
"   comme définitivement occupé...

Pourtant, la diffusion demeure insuffisante. Un vrai
journal apparaît nécessaire. C'est en zone Nord que
l'idée prend corps lorsque Henri Frenay y vient en
avril-mai 1941[26]. *Les Petites Ailes de France* (qui seront
Les Petites Ailes Françaises pour le seul n° 3 et *Les
Petites Ailes de la France et de l'Empire*, pour le n° 6)
forment, ronéotées puis — à partir du n° 5, de juillet —
imprimées, l'édition de Paris, tandis que le « Tirage de
zone libre » a pour titre *Les Petites Ailes* ; une imprimerie a été trouvée à Villeurbanne à partir du n° 6,
daté du 16 juillet.

Le premier se transformera, en août, en *Résistance*
pour la zone Nord (ce sera le second journal clandestin
à porter ce titre),et en *Vérité* pour la zone Sud — le
R. P. Pierre Chaillet, les journalistes Pierre Scize et
Georges Oudard y collaboreront. *Vérités*, enfin, cessera
de paraître, à la fin de l'année, lors de la création de
Combat.

Vichy

L'un des éléments notables de cette période — la première moitié de l'année 1941 — est la vision de plus en plus claire — au moins pour un nombre plus grand de Français — du rôle véritable joué par le Maréchal Pétain.

Jean Texcier a, pour les besoins de son ministère — devenu le ministère de la Production Industrielle — été appelé provisoirement à Vichy. Quel poste d'observation ! « L'atmosphère trouble et empoisonnée de la petite capitale de la trahison, la vaine agitation des fantoches de l'Hôtel du Parc, l'invraisemblable climat de conspiration frelatée de cette grotesque scène politique m'incitèrent à rédiger sous forme de lettres une sorte de journal-pamphlet. Les *Lettres à François*, dactylographiées au ministère de la Production Industrielle, où régnait alors un Belin et triomphait déjà un Bichelonne, circulèrent à Vichy et à Clermont-Ferrand. Elles atteignirent aussi Lyon. Elles intriguèrent beaucoup de gens. » Ainsi contera plus tard Jean Texcier lui-même qui ajoute : « C'était le temps où les *Lettres à François* passaient la ligne de démarcation dans le ventre complaisant de petits poulets à rôtir... »

Jean Texcier revenu à Paris, il a réuni ses lettres en une brochure — sa quatrième brochure clandestine — qui sort des presses en avril 1941. Il a l'art des formules : « Un combattant de Paris déjà un peu habitué à cette drôle de guerre qu'est l'armistice en zone occupée a bien du mal à se faire à cette drôle de paix qu'est l'armistice sous le ciel de Vichy. » Le régime ? « Ce n'est plus seulement l'équivoque, c'est proprement l'escroquerie spirituelle organisée en système politique ». « A Vichy, rien ne rappelle la guerre qui continue. Pas ou peu de souffrance, pas d'humiliation quotidienne, pas de bataille. La guerre se liquéfie dans une sorte de diplomatie qui tourne facilement au jeu. » « Grandeur et servitude militaires ! Pour le moment, François, beaucoup de servitude et bien peu de grandeur ».

Défilé de la Légion des Anciens Combattants
devant l'Hôtel du Parc à Vichy.

« La France continue »

Et voici un nouveau journal clandestin : *La France
continue...* Il est imprimé. Il porte la date du 10 juin
1941. Il s'ouvre sur un article intitulé :

"   VICHY-ÉTAT
"   Il faut plaindre les honnêtes habitants de la cité
" thermale de l'Allier (vichyssois d'après Larousse,
" vichicatois d'après Larive et Fleury), voici que le nom
" de leur ville, jusqu'à présent honorablement connu,
" est devenu pour la France, et pour le monde entier,
" un opprobre et une flétrissure. Flétrissure, souillure
" que toutes tes sources, ô Vichy, ne pourront jamais
" laver. Tant qu'il existera sur notre planète des
" Français dignes de ce nom, ils prononceront ton nom.

" Vichy, avec le même rictus que quand on dit « Judas »,
" Ce n'est pourtant pas ta faute si tu as été choisie
" comme résidence par une bande de politiciens sans
" mandat qui veulent faire croire au monde qu'ils
" représentent la France, et qui trafiquent de son nom
" autour du prestigieux képi d'un vieux chef militaire
" (qui a failli déjà nous faire perdre la dernière guerre).
" L'État — Vichy — c'est moi, dit le Maréchal. Oui,
" ce n'est que lui, ou plutôt, et cela revient au même,
" ce sont les Laval et les Darlan, tous les traîtres à
" qui il prête successivement son manteau.

" Vichy a fait « la somme », comme dirait saint
" Thomas, de toutes les hypocrisies, de toutes les lâche-
" tés, de toutes les vilenies, de tous les crimes.

" Vichy, c'est — au nom de l'honneur s'il vous
" plaît — l'avilissement devant le gangster de
" Berchtesgaden. C'est — au nom de Jeanne d'Arc,
" remarquez-le bien — la collaboration avec l'envahis-
" seur. C'est, au nom de la fidélité à la parole donnée,
" le coup de poignard (à l'italienne) dans le dos de notre
" alliée d'hier. C'est, aujourd'hui 8 juin, au nom de
" la « justice » — l'ordre donné aux Français de Syrie
" (signé Pétain) de se faire tuer pour Hitler. Ce sera
" demain, au nom de l'unité française, la guerre civile
" dans toute la France au profit de l'Allemagne.

" Vichy, la France ? La France sans franchise est
" une contradiction in adjecto. Vichy, c'est l'anti-
" France.

" Pleurez, sources de Vichy, le « fidèle berger » n'est
" plus. Sa houlette est entre les pattes du loup. (Il
" habite en face, à l'Hôtel du Parc).

Les échos qui suivent sont du même esprit sinon du
même style. Car le style de l'éditorial ne manque pas de
frapper. C'est une bonne page littéraire... Le fondateur
et l'animateur de cette feuille nouvelle est, avec sa
femme, d'origine polonaise, qui sera déportée et ne
reviendra pas, Henri de Montfort, alors directeur des
services de l'Institut de France, quai Conti. Il est entouré
de Suzanne Feingold, d'un diplomate, Paul Petit, du
professeur au Collège de France Émile Cornaert...

Treize numéros vont paraître, d'ici le début de 1942 ; onze seront imprimés à Paris, rue Cardinale, deux à Angers par l'entremise de Victor Chatenay. Le tirage s'élèvera de 3.000 à 15.000 exemplaires. Un vrai journal !

Le numéro qui fera le plus sensation et qui fut l'occasion, à l'époque, d'un beau tapage, est le n° 3, du 14 juillet 1941. Il s'agit d'un numéro spécial « plus particulièrement consacré au rôle joué par le Général Pétain pendant la guerre de 1914-1918 ».

" Beaucoup de Français — et parmi eux des bons —
" sont, aujourd'hui encore, persuadés que le mieux pour
" la France dans sa détresse actuelle est de se tenir
" unie derrière son chef — un chef qui nous est présenté
" depuis plus de vingt ans comme un des sauveurs
" de la patrie.
" Nous ne sommes pas de cet avis. Nous croyons que
" la personnalité du Maréchal Pétain ne justifie aucu-
" nement la confiance que beaucoup avaient mise en
" lui et dont il a abusé de la façon que l'on sait. Ne
" pouvant penser lutter efficacement avec notre seule
" conviction contre un pareil courant, il nous a paru
" bon d'opposer l'argument d'autorité à l'argument
" d'autorité et de faire appel aux jugements d'autres
" grands chefs sur le rôle joué par Pétain pendant la
" dernière guerre.
" Ce numéro reproduira donc les appréciations de
" Joffre, de Foch, de Poincaré, de Clemenceau sur le
" Maréchal Pétain.

Et six pages de texte serré, encore qu'il s'agisse de la reproduction de textes publiés, sont sous cette forme une révélation — pour d'autres, un scandale. Elles se termi-nent par l'appréciation sans ambages de Clemenceau : « Nous avons poussé Pétain à la victoire à coups de pied dans le... »

On ne pouvait mieux s'attaquer à la « démystification » de l'opinion. D'autres reprendront ce thème[27]. Pour la première fois, des éléments d'appréciation étaient offerts qui ne ressemblaient pas à l'hagiographie officielle.

QUATRE FRANCS

L'Aventure et la Vie

MÉMOIRES DE NAPOLÉON ⁴⁵¹
★
LE VOL
DE L'AIGLE

Le Retour de l'Ile d'Elbe

COLLECTION DAUPHINE

Couverture : Sous la couverture des *Mémoires* de Napoléon

Prolétaires de tous les pays, unissez-vous !

CAHIERS
DU BOLCHEVISME

Organe théorique du Parti Communiste Français (S.F.I.C.)

18ᵉ ANNEE. — 2ᵉ ET 3ᵉ TRIMESTRES 1941. — PRIX : 3 FRANCS

SOMMAIRE

se dissimule un numéro des *Cahiers du bolchevisme.*

L'U.R.S.S. dans la guerre

Donc, le divorce avec Vichy se prépare, s'accomplit ; il va se faire définitif.

L'autre élément — majeur — de ce temps est la rupture du pacte germano-soviétique.

Le 22 juin au soir, les Français à l'écoute de Londres connaissent un élan de joie : Hitler a décidé d'envahir la Russie. Un ennemi de plus pour arrêter, un jour, la furie de conquête ! « Je me garderai bien de faire des pronostics sur la durée de la résistance russe, parce que je m'en sens tout à fait incapable », dira le 24 juin Pierre Bourdan de sa voix un peu sourde et mate, et avec la franchise exceptionnelle qui donne tant de prix à ses « commentaires »[28]... « Sera-t-elle un facteur décisif de la guerre, ou n'en sera-t-elle qu'un épisode ? Je ne le sais pas davantage. » Mais il ajoute : « On sait très bien que, dans l'esprit de Hitler, la conquête de la Russie ne serait qu'un prélude à une attaque sans précédent contre l'Empire britannique... » La « croisade anti-communiste ? ». « Le piège grossier ne prend que des imbéciles, ou les dupes volontaires. Les hommes de Vichy appartiennent à cette dernière catégorie. » Et encore : « Le but... reste le même : la défaite de l'Allemagne. Tout ce qui peut concourir à ce but est utile. Si la Russie soviétique est entraînée par les circonstances à se battre contre Hitler, la Russie soviétique apporte une contribution à cette lutte... Il s'agit de rendre cette contribution aussi efficace que possible. »

Pour la poursuite de la guerre, l'événement est considérable.

Pour la presse communiste — illégale, rappelons-le, depuis 1939 — le tournant est décisif.

« Organe théorique du Parti Communiste Français », les *Cahiers du Bolchevisme* » qui continuent de paraître clandestinement — tirés à 20.000 exemplaires, selon le *Catalogue* de la Bibliothèque nationale — ont solennellement, dans le fascicule du premier trimestre 1941, expliqué clairement la position du Parti dans une *Lettre aux militants communistes* :

"   Nous avons combattu la guerre déchaînée en
"   septembre 1939 parce qu'elle poursuivait des buts
"   réactionnaires et impérialistes.
"   ... La guerre pour la domination du monde capi-
"   taliste continue et sa fin n'apparaît pas prochaine.
"   L'Allemagne et l'Italie d'une part et d'autre part
"   l'Angleterre aidée par les États-Unis continuent à se
"   battre et la conflagration actuelle risque fort de
"   s'étendre dans les mois à venir. C'est pourquoi on
"   tentera peut-être d'entraîner à nouveau notre mal-
"   heureux pays dans la guerre impérialiste, les traitres
"   Doriot et Gitton voulant que les Français mettent
"   « SAC AU DOS » pour faire la guerre à l'Angleterre
"   afin d'aider l'Allemagne, les agents de de Gaulle
"   voulant faire tuer des Français pour aider l'Angleterre
"   dans sa lutte contre l'Allemagne.
"   De même qu'il a combattu hier la guerre impéria-
"   liste, le Parti Communiste combattra toute tentative,
"   quelle qu'elle soit, de jeter à nouveau la France dans
"   la guerre impérialiste.

De son côté, *L'Avant-Garde*, organe central de la Fédération des Jeunesses Communistes de France, écrivait
le 16 avril 1941 :

"   Heureusement, face à cette criminelle politique de
"   guerre et de misère, la puissante Union Soviétique
"   reste le bastion de la Paix et de la liberté des peuples.
"   Les Pactes d'amitié, de non-agression signés avec la
"   Turquie et la Yougoslavie expriment sa politique de
"   Paix et d'Indépendance vis-à-vis de tous les fauteurs
"   de guerre impérialiste.

Or, tout change[29].
Chaque publication communiste s'empresse d'éditer
un numéro spécial.
Le numéro spécial (n° 119) de *L'Humanité* (zone
occupée) porte en grand titre : *Hitler a attaqué l'Union
Soviétique*. Et c'est un « Appel au Peuple de France » :

"   Hitler qui depuis un an opprime la France vient de

75

" " *violer le pacte de non-agression* signé par lui avec
l'U.R.S.S. Il a attaqué le pays du socialisme le
22 juin 1941 à 4 heures du matin.

" Une fois de plus ce chef de gangsters vient de
montrer que pour lui les traités ne sont que des
chiffons de papier. Sans avoir fait la moindre représentation diplomatique, Hitler a lancé contre le pays
du socialisme ses armées, les armées finlandaises du
sinistre Mannherheim, soutenu par les sociaux
démocrates finlandais, ainsi que les armées roumaines
du général Antonesco.

" Ainsi les maîtres du IIIe Reich montrent leur vrai
visage d'ennemis des peuples libres, leur vrai visage
d'ennemis de la civilisation.

" Les peuples de l'U.R.S.S. groupés en un bloc
indissoluble derrière le gouvernement soviétique,

" derrière le Parti Bolchevik et derrière son chef, le
" camarade Staline, sont prêts à repousser par la force
" l'agression criminelle de la clique hitlérienne, mais ce
" n'est pas tout.
" Les peuples de France, de Belgique, de Hollande,
" de Yougoslavie, de Tchécoslovaquie et de Grèce
" qui ont été réduits à l'esclavage par Hitler et son
" complice Mussolini, veulent se libérer. Tous ces
" peuples voient dans les ennemis de l'Union Soviétique
" *leurs propres ennemis que par tous les moyens ils*
" *abattront.*

L'Avant-Garde (spécial n° 53, du 22 juin 1941) dénonce quasiment dans les mêmes termes « l'agression infâme de Hitler ». Son titre : *Debout ! Pour la défense de l'U.R.S.S. Patrie des Travailleurs ! Pour délivrer la France des oppresseurs !*

Les *Cahiers du Bolchevisme* — qui portent la date des 2e et 3e trimestres 1941 — contiennent entre autres documents le discours de Molotov par lequel « le gouvernement des Soviets et son chef Staline » se sont officiellement exprimés le jour même de l'entrée des troupes allemandes en Russie : « ... Cette agression contre notre pays est perfide et n'a pas sa pareille dans l'histoire des nations civilisées. L'attaque contre notre pays a été perpétrée en dépit de l'existence d'un traité de non-agression entre l'U.R.S.S. et l'Allemagne, traité dont les clauses furent loyalement respectées par le gouvernement Soviétique. »

L' « Appel au peuple de France » y est également reproduit. Il se termine par une exhortation à l'Union :

" Le Parti Communiste Français, exprimant la
" pensée profonde des masses laborieuses de notre pays,
" appelle tous les Français et toutes les Françaises à
" réaliser le Front national de lutte pour l'indépendance
" de la France.

Été 1941

La guerre est totale. Deux camps se partagent le monde, sans merci. La répression sur le sol français se fait plus sévère encore. Les autorités hitlériennes mettent en œuvre l'affreux « système des otages »... Bientôt le premier convoi de déportés politiques quittera la France ; mais qui imagine alors ce que sont — et seront — les « camps de la mort » ? En août 1941, la Charte de l'Atlantique est proclamée ; c'est la « Déclaration commune de la Grande-Bretagne et des États-Unis » lancée le 14 août.

> ... Sans doute la presse française, esclave, essaie volontiers de ridiculiser la signification de ce document, sans d'ailleurs jamais en citer le texte. Celui-ci n'en est pas moins d'une importance capitale et il est utile de le faire connaître...

écrit *La France continue* (n° 8, 20 novembre 1941), en publiant l'engagement écrit des deux alliés et en soulignant « l'immense espérance » qu'il apporte.

Cette espérance, les faits eux-mêmes ne la renforcent pas beaucoup, à dire le vrai. Elle demeure pourtant, invincible, chez les meilleurs. Et la moindre occasion est saisie pour la stimuler. Dans le numéro que nous venons de citer, un écho est intitulé :

> ## HEUREUX PRÉSAGE ?
>
> Le 4 octobre une voiture allemande venant de l'avenue d'Orléans s'est écrasée avec ses occupants place Denfert-Rochereau, sur le Lion de Belfort, monument qui, comme on le sait, symbolise la résistance française de 1870-71.
>
> Pendant tout l'après-midi ce fut un défilé ininterrompu de badauds, commentant le symbolisme de ce fait divers et le mettant en rapport avec la résistance française que soulignent les innombrables affiches rouges annonçant les exécutions d'otages.

Dans le fond du malheur, tout prend figure de signe du destin...

« La Voix du Nord »

En zone interdite, Jules Noutour, brigadier de la police municipale de Lille, membre du parti socialiste, avait pris l'initiative de faire paraître depuis le 1er avril *La Voix du Nord*, « organe de la Résistance de la Flandre française ». Il s'était entouré de nombreux et précieux concours. Citer des noms est ici plus difficile qu'ailleurs, car c'est risquer d'être injuste. Notons au moins ceux de Natalis Dumez, ancien maire de Bailleul, René Decock, alors dans une coopérative de la Fédération agricole, Georges Vankemmel, pharmacien à Armentières, Lionel Alloy, professeur d'enseignement technique, Jules Houcke, Albert van Wolput, représentant en machines-outils, ami de Noutour... Van Wolput a participé d'ailleurs à *L'Homme libre* de Jean Lebas et Augustin Laurent. Mais c'est le signe qu'il n'y a pas de cloisons étanches dans la résistance de cette province patriote. Et tous les résistants sont amenés à un moment ou un autre à participer, au moins, à la diffusion de *La Voix du Nord*. Pierre Houriez, qui a la charge d'un réseau d'évasion, est de ceux-là, comme Jean-Pierre Deshayes, parachuté de Londres dans la région du Nord pour le compte du B.C.R.A., et tant d'autres.

Longtemps multigraphié, puis imprimé — à Lille, chez Charles Lefebvre et chez Félix Planquart, rue Desrousseaux, ou bien à Saint-Amand — *La Voix du Nord* sera un journal important, influent. Il deviendra même le noyau actif de tout un mouvement de résistance.

Son rôle est d'autant plus essentiel que les informations parviennent plus difficilement dans le Nord.

Voici, par exemple, dans le n° 9 du 14 juillet 1941 :

"   MÉFIEZ-VOUS DES FAUSSES NOUVELLES ! !
"   L'activité aérienne des Anglais, comme aussi la
" dure lutte que l'Allemagne a engagée vers l'Est, ont
" fait naître des espoirs.
"   L'isolement dans lequel nous nous trouvons, par
" suite de l'impossibilité d'entendre la radio de Londres,
" a créé une atmosphère propice à la propagation des
" rumeurs les plus invraisemblables.
"   Nous mettons nos lecteurs en garde contre les
" circulaires qui sont répandues ; la plupart d'entre
" elles présentent le danger d'amener des mouvements
" prématurés, des mesures dangereuses, une confiance
" qui sera déçue.
"   « Vichy » et les Allemands peuvent avoir intérêt à
" provoquer des déceptions et des imprudences.
"   Il est difficile, nous le savons, de distinguer le
" vrai du faux.
"   Ceux qui ont suivi *La Voix du Nord* depuis le
" début ont la preuve de la sûreté de nos informations ;
" qu'ils nous fassent confiance ; en temps utile, nous leur
" fournirons les renseignements nécessaires ; ils savent
" par quelles sources leur parvient *La Voix du Nord*...,
" nous demandons instamment à ceux qui se sont
" faits nos propagandistes de nous réserver leur activité
" et de ne pas transmettre des circulaires dont ils
" ignorent l'origine... Ils éviteront ainsi toute confusion
" et ils donneront à tous nos concitoyens une garantie
" formelle : par nos filières habituelles, nous pourrons
" démentir ce qui est inexact et dangereux et nous
" pourrons ainsi donner à tous des renseignements
" certains.

LA VOIX ·· DU NORD

LIBERTÉ ÉGALITÉ FRATERNITÉ

et du Pas-de-Calais

ORGANE DE LA RÉSISTANCE
DE LA FLANDRE FRANÇAISE

LA RÉPUBLIQUE N'EST COUPABLE
NI DE LA GUERRE NI DE LA DÉFAITE.

Avant 1914, un livre avait paru : "Faites la paix, sinon faites un
roi." Son auteur, républicain cependant, déniait à la République la
possibilité d'une organisation assez forte pour s'opposer aux impéria-
lismes militaires ; il n'avait pas compris quelle âme héroïque se for-

1er mai 1942 : « La
République n'est cou-
pable ni de la guerre
ni de la défaite. »

"   Nos amis verront une nouvelle preuve de la néces-
"   sité de se méfier d'informations sensationnelles dans
"   le fait de l'active propagande par laquelle a été annon-
"   cée à tort une émission pour le 11 juillet...

La Voix du Nord en appelle à la vigilance des Français.
La guerre civile est un danger réel, celui d'une « révolution» soi-disant populaire » (25 juillet). Mais on ne doit pas
pardonner à « toutes les trahisons du gouvernement de
Vichy » et Laval est un « agent de l'Allemagne » (5 septembre). Dès à présent, il faut « vers l'avenir » se préparer aux « grandes tâches » qui seront celles de la

81

« France politique, sociale et économique de demain »
(20 septembre).

L'éditorial du 25 novembre conclut :

"   Vichy, c'est l'Allemagne et la défaite.
"   Les Français libres, c'est la France et la victoire.
"   Le choix de tous les hommes du Nord est fait.

« Libération (Z.S.) »

Tandis que *Libération* poursuit sa publication en
zone occupée, un autre *Libération*, tout à fait distinct, se
crée en zone Sud. C'est Emmanuel d'Astier de la Vigerie —
dans la clandestinité « Bernard » — qui en est le fondateur.
Officier de marine qui n'a pas accepté la défaite, de
haute taille, avec un profil d'aigle et une allure de condot-
tière, Emmanuel d'Astier, frère du Général d'Astier,
souhaite réunir les opposants de gauche au régime de
Vichy. Le n° 1 sort en juillet d'une imprimerie de Clermont-Ferrand. Il y aura quatre numéros en 1941 et la
publication se poursuivra jusqu'en 1944[30]. Le sous-
titre est audacieux : « Organe du Directoire des Forces
de Libération Françaises. »

Le n° 2 d'août 1941 paraît avec un cliché représentant
l'affiche de propagande nazie contre tout ce qui est
« Welsche », apposée en Alsace. Il invoque dans son
article de tête la nécessité du combat. Et d'abord il
stigmatise Pétain :

"   … Nous avons vu rayer notre République, renier
"   notre parole. Un Maréchal de France a été rencon-
"   trer Hitler à Montoire au lieu de prendre l'avion pour
"   l'Afrique. Il livre, morceau par morceau, notre empire,
"   donne sa marque, la marque de la France, à une
"   littérature, à une radio aussi platement basses que
"   celles de Berlin. Il laisse dans une ville d'opérette se
"   dérouler depuis un an la plus grotesque, la plus
"   odieuse des comédies qu'on ait jamais vues. Il se

"   déshonore par des lois infâmes, un statut des Juifs,
"   les camps de concentration, la Légion des mouchards,
"   et toute cette boue où il va chercher et rejette périodi-
"   quement ses ministres. Mais peu importe, le tricolore
"   dont il se drape est une teinture ersatz. Il a bien fait
"   d'abolir la République : le monde ne reconnaît pas
"   Vichy...

Le ton est plus vif encore dans le nº 3 daté de septembre-octobre 1943 :

"   ... Aujourd'hui la tension croît dans tous les
"   territoires occupés. Pour la première fois, Paris semble
"   se réveiller de sa torpeur. La France semble vouloir
"   de nouveau paraître en tête dans la lutte contre
"   l'oppression, tandis qu'à l'Est, l'héroïque résistance
"   du peuple russe attise dans le monde entier tous les
"   espoirs.
"   Nous n'avons aucune tendresse pour la dictature
"   communiste et — pour l'instant au moins — nous
"   n'encourageons pas les attentats en ordre dispersé.
"   Mais des moujiks du Dniepr comme des militants de
"   Paris et d'Oslo, nous ne pouvons nous défendre
"   d'être jaloux. Pour une fois, une masse ne cède pas
"   en tant que masse ; pour une fois des hommes isolés,
"   au moins dans leur action (et non une troupe en
"   armes) se sacrifient à un collectif. A nous, Français
"   de *Libération*, de saisir là l'essentiel de notre but,
"   la preuve que notre tâche s'accomplit.

« Défense de la France »

Au milieu de l'été, en zone Nord, apparaît l'une des
feuilles qui prendra place parmi les plus importants
journaux de la Résistance.

Philippe Viannay, depuis sa démobilisation, s'est juré
de poursuivre le combat. Un industriel, Marcel Lebon, a
promis de l'aider. C'est ainsi que, dès la rentrée universi-

taire de l'automne 1940, un petit groupe d'étudiants s'est formé à Paris. L'étudiant en philosophie qu'est devenu Philippe Viannay, et Robert Salmon, son ancien camarade de lycée, qui a repris sa préparation à l'École normale supérieure, décident de mettre leurs jeunes forces en commun. Le professeur Gustave Monod est de ceux qui les conseilleront. La bibliothécaire au laboratoire de géographie physique, Hélène Mordkovitch — qui deviendra en 1942 Mme Philippe Viannay — est du tout premier complot.

Dès le printemps de 1941, un tract est tiré à 100 exemplaires. Mais ces jeunes, avides d'action, veulent bien plus...

Le 15 août 1941, *Défense de la France* est fondé. Philippe Viannay signe *Indomitus* des éditoriaux passionnés, tumultueux, où son tempérament ardent, son goût de persuader et sa foi se donnent libre cours.

« Justice ! Justice ! » crie-t-il après l'assassinat de cent otages. Mais, ayant lancé les pires apostrophes aux « barbares », il ajoute :

"   A leurs crimes, Français, répondrons-nous par la
"   haine ? Non, car la haine est stérile quoi qu'en pense
"   le misérable qui écrivait dans *Mein Kampf* : « Je crois
"   à la fécondité de la haine ». La haine n'engendre que
"   le meurtre et la destruction.
"   Nous opposerons notre mépris, notre indignation.
"   L'ennemi saura qu'une fois de plus il a soulevé le
"   monde de dégoût. Que chacun montre à l'Allemand
"   l'horreur qu'il nous inspire. Rien ne doit faire taire
"   nos sentiments, pas même la crainte de la mort. Que
"   les chefs du pays, les chefs spirituels surtout, aient la
"   hardiesse de flétrir publiquement des crimes publics.
"   Un cardinal Mercier fut plus grand jadis, en de telles
"   occasions...
"   Puis un jour viendra. Et notre force sera terrible
"   parce qu'elle sera fondée sur la Justice, nous serons sans
"   pitié, parce que nous agirons sans remords. Nous ne
"   cesserons de frapper que lorsque tout sera purifié.
"   Chefs du nazisme, Français qui dénoncez ou traquez
"   vos frères, vous tous qui aidez l'ennemi dans son

DEFENSE DE LA FRANCE

"Ils égorgent la veuve et l'étranger
Ils massacrent les innocents" (Psaume 94)

Le quatorze décembre les autorités d'occupation ont décidé la mort de cent otages. Mais comme l'Allemand n'a jamais le courage de ses actes, on a voulu justifier ces assassinats, nous prouver que, tout compte fait, c'était là acte moral, bienfaisant, humanitaire même.

Allemands, vous nous levez le coeur. Vous voulez dominer le monde, nous prouver votre supériorité, et vous n'êtes que des bêtes viles et malfaisantes. Vous pouvez couvrir vos actes du vernis de la "correction", vous pouvez jouer aux libérateurs et singer les grands hommes, mais vous n'êtes que de misérables assassins.

Vous nous dites, après avoir avoué qu'aucun coupable n'a pu être retrouvé, que "pour frapper les véritables auteurs des lâches attentats", vous envoyez cent innocents à la mort. Puis, vous nous réconfortez en disant que ces mesures ne frappent pas le peuple de France puisqu'il s'agit d'individus nuisibles au Pays.

Justice ! Justice !

" œuvre de mort, qui vous mettez à sa solde, journa-
" listes écrivains qui prostituez vos signatures, *vous*
" *tous tremblez, Justice sera faite.*

Une phrase est citée en tête du numéro : « Ils égorgent la veuve et l'étranger. Ils massacrent les innocents » (Psaume 94). Est-elle à l'origine de cette noble épigraphe qui sera par la suite adoptée et qui est si pleine de sens et de poids quand on sait combien sont morts pour la presse clandestine : « Je ne crois que les histoires dont les témoins se feraient égorger » (Pascal) ?

La pensée politique de *Défense de la France* mûrira au fur et à mesure que les mois passent[31]. L'article d'*Indomitus*, en tête du nº 20 du 30 juillet 1942, célébrant le premier anniversaire de *Défense de la France*, tente encore de définir « l'unité française » « malgré les Alle-mands, malgré la propagande étrangère » :

85

"   Cette unité a deux ennemis : les Allemands et les
" intérêts anglo-russes. Les premiers veulent diviser
" la France, au besoin en favorisant la propagande
" communiste, pour lui enlever toute force ; les seconds
" voudraient faire de la France un pur instrument ;
" plus soucieux de la pousser à la révolte que de la
" relever de ses ruines, ils voient en elle un moyen
" d'économiser leurs forces...

En exergue, auprès de la citation de Pascal, cette phrase (qui disparaîtra ensuite) retient l'attention :

NI ALLEMANDS, NI RUSSES, NI ANGLAIS,
NI NAZISME, NI COMMUNISME,
FRANÇAIS

En tout cas, sans autre ambiguïté, le combat est dans l'instant l'objectif unique : « *La Défense de la France* propose d'abord, dans l'oubli de toutes les passions politiques, l'union contre l'Allemagne. »

« Les Cahiers du Témoignage chrétien »

Les problèmes de ce temps troublé sont nécessairement des problèmes de conscience.

D'une part, il apparaît bien, si l'on réfléchit, que tout, dans cet affreux chaos, est remis en cause et que, si l'on n'y prend garde, les principes moraux risquent de chanceler à leur tour. Un monde s'écroule. Comment les valeurs essentielles vont-elles, au moins, subsister ?

D'autre part, un phénomène apparaît particulièrement frappant, c'est la mise en œuvre de toutes les forces d'influence — et de perversion — sur les esprits. Pour la première fois apparaît l'expression de « viol » des cerveaux... Ce sont *Les Petites ailes de France* qui l'emploient :

CAHIERS
DU
TÉMOIGNAGE CHRÉTIEN

I

FRANCE
PRENDS GARDE DE PERDRE
TON AME

NOVEMBRE 1941

Le premier fascicule

"   ... C'est l'Allemagne qui, par l'asservissement de
" la presse, de la radio, supprimant l'une des plus humai-
" nes de nos traditions, la liberté de la pensée, s'efforce
" de fausser le jugement de millions de malheureux,
" élevant l'art de la réclame à la hauteur d'une Institu-
" tion d'État.

"   L'Allemagne bismarckienne n'avait pas commis ce
" viol. L'Allemagne de 1914 ne l'avait pas rêvé...
" L'Allemagne hitlérienne le poursuit avec toute sa
" haine de notre culture, avec toute sa science de
" tortionnaire des cerveaux, riche de l'expérience
" acquise sur son propre peuple...
"
                                            10 juillet 1941.

Et *Vérités*, non seulement dénonce pareillement « la
guerre contre l'esprit » menée par l'ennemi et ses alliés de
Vichy, mais, dans sa chronique religieuse signée *Testis* —
rubrique régulière, ce qui est à noter, et singulièrement
bien informée — s'adresse « aux parents chrétiens »
pour mesurer avec eux le danger spirituel : « La menace
proférée par Adolf Hitler de « prendre aux parents leurs
enfants » est devenue *une tragique réalité...* » (n° 17,
15 novembre 1941).

Or, voilà, en ce mois de novembre 1941, une publication
nouvelle, différente des clandestins publiés jusqu'ici.
C'est un fascicule à couverture blanche, presque au
format d'un livre. Le titre : *Cahiers du Témoignage
chrétien*. Le n° 1 porte ces mots de feu en milieu de page :

FRANCE
PRENDS GARDE DE PERDRE
TON AME

La préface est ainsi conçue :

"   Il n'y a pas de doute que notre monde actuel ne
" soit une prison de l'esprit, avant d'être une prison
" du corps, qu'il est aussi.
"   L'honnêteté exige que nous ne refusions pas de
" voir ce qui est vrai ; et ce n'est pas pour nous une
" petite affaire, puisque notre conscience est déchirée
" par deux puissances, celle qui *nous donne le men-*
" *songe* et celle qui *nous refuse la vérité*. C'est notre
" droit et notre devoir d'être doublement prudents et
" méfiants, quand ceux qui nous parlent nous mettent
" dans l'impossibilité de recevoir autre chose que ce
" qu'ils disent, rien en dehors d'eux.

"   Qui donc alerte ainsi notre vigilance ? C'est la
" *Voix du Vatican,* que vous devez entendre chaque
" soir (sauf le dimanche) à 19 heures, sur 48, 47.
"   Radio-Vatican a de bonnes raisons pour parler.
" Elle sait que la censure, en tout pays sous le contrôle
" de la police allemande, « *nous refuse la vérité* » et que
" la propagande « *nous donne le mensonge* ».
"   Fils de lumière, les chrétiens doivent *savoir* et ils
" doivent *témoigner.* Sur leur plan à eux, qui est celui
" du Règne de Dieu et de sa Justice, nul opportunisme,
" nulle crainte charnelle ne peuvent les dispenser de
" ce témoignage qu'ils doivent opposer « à la caricature
" de la justice, à la caricature de la vérité, à la cari-
" cature, hélas, de l'honneur ».
"   Les *Français* qui vous présentent ces Cahiers ne
" font pas de politique pour ou contre ceci ou cela.
" Ils n'ont d'autre souci que d'empêcher la lente
" asphyxie des consciences ; ils vous apportent des
" faits contrôlés et des documents authentiques ; ils
" vous rappellent des directives doctrinales.
"   Ils s'en remettent à votre ingéniosité pour amplifier,
" avec prudence et courage, l'écho de ces *Cahiers du
" Témoignage chrétien.*

Le texte commence par ces graves vérités :

"   « Un peuple entier est en train de perdre son âme »,
" c'est ainsi qu'un prélat allemand caractérisait la
" situation de son pays au moment où la marée nazie
" commençait de le submerger.
"   Il y a un an, la France était à son tour submergée
" et elle perdait la liberté. Non seulement la liberté
" politique, à laquelle elle devait renoncer en raison de
" sa défaite. Mais aussi sa liberté spirituelle qu'elle
" entendait cependant sauvegarder par un armistice
" conclu dans l'honneur. C'était mal connaître son
" adversaire, qui n'est plus l'Allemagne impériale
" de 1914, mais l'Allemagne hitlérienne. A celle-ci, il
" ne suffit plus d'asservir le corps des nations, il lui
" faut également domestiquer leur âme, leur faire
" renier leurs raisons de vivre pour être plus assurée

89

" de leur soumission. Depuis un an, à côté du travail
" politique, toute une action souterraine proprement
" spirituelle s'est déployée, qui tend à nous faire
" renoncer à ces valeurs chrétiennes, patrimoine com-
" mun, par-delà toutes les divisions de surface, de nos
" différentes familles spirituelles. De cette action, le
" but dernier est l'*asservissement de l'âme même de la*
" *France.*

Le fondateur des *Cahiers du Témoignage chrétien* est
le R. P. Pierre Chaillet — qui est précisément le *Testis*
de *Vérités*. C'est à Saint-Étienne qu'il a trouvé un imprimeur, puis ce sera à Lyon chez Eugène Pons, rue de la
Vieille-Monnaie, et enfin à Paris. Le texte de « France,
prends garde de perdre ton âme » est dû au R. P. Gaston
Fessard — qui collaborera aussi à *Défense de la France...*
Quinze de ces importantes livraisons vont se succéder
jusqu'en 1944. Elles seront complétées par le *Courrier
français du Témoignage chrétien* à partir de juin 1943.
Donnons déjà ici quelques-uns des titres de ces *Cahiers*
exemplaires : « Notre combat », « Les Racistes peints
par eux-mêmes », « Antisémites », « Droits de l'Homme
et du Chrétien », « Collaboration et Fidélité », « Défi »,
« Les voiles se déchirent », « Déportation », « Où allons-
nous ? Message de Bernanos », « Alsace et Lorraine,
Terres françaises », « Puissance des ténèbres », « Exigences
de la Libération », « Espoir de la France »...

« Socialisme et liberté »

En décembre 1941, en zone Nord, paraît *Socialisme
et Liberté* fondé par un professeur de lettres, élancé,
ardent, Robert Verdier, ainsi que par Raoul Evrard et
Élie Bloncourt, tous trois membres du Parti socialiste
S.F.I.O. Le titre *Le Populaire*, utilisé en zone Sud à

partir de mai 1942 par Daniel Mayer, sera repris par Robert Verdier à partir de mai 1943 ; ce seront alors, pour chaque zone, deux journaux tout à fait différents.

Le n⁰ 1 se présente comme le « Bulletin du Comité d'Action Socialiste ». Et le vieux style auquel sont habitués les partis lui fait intituler « ordre du jour » le manifeste suivant :

" Le Comité d'Action Socialiste, institué par un
" groupe de militants résolus à n'abdiquer devant aucun
" risque, s'est donné la mission d'assurer en France la
" continuité du Socialisme.
" Il poursuivra son action jusqu'au jour où un parti
" reconstitué, débarrassé des parasites et des jouis-
" seurs, pourra dans des assises régulières affirmer sa
" responsabilité et définir sa ligne de conduite.
" Le Comité d'Action Socialiste est sûr d'interpréter
" le sentiment de l'immense majorité des socialistes
" français en proclamant d'ores et déjà :
" — son attachement aux idées républicaines et
" démocratiques dont le socialisme n'est d'ailleurs que
" le développement ;
" — son respect de la souveraineté populaire et du
" suffrage universel qui en est l'expression ;
" — son inébranlable volonté de lutter sans répit
" pour l'établissement d'une démocratie véritable, à la
" fois politique et sociale, dans une France libérée de
" l'oppression.

Une bataille s'engage en effet, pour laquelle les publications vont se multiplier.

Max Dormoy est mort ; il a été assassiné.

Léon Blum est depuis seize mois détenu dans une prison de la zone dite libre...

Socialisme et Liberté entend défendre — selon l'expression qu'il emploiera dans son n⁰ 5 — le « socialisme libérateur de l'homme ».

« Franc-Tireur »

Et puis, en zone Sud, à Lyon, *Le Franc-Tireur* lance un premier numéro à 6.000 exemplaires. Au-dessus du titre : décembre 1941. Au-dessous, cette manchette : « Mensuel dans la mesure du possible et par la grâce de la Police du Maréchal » (il y aura des numéros en 1942 qui apporteront une modification à la formule : « ... et par la grâce de la police de Pierre Laval » ; ensuite, ce sera tour à tour : « Mensuel malgré la Gestapo et la police de Vichy » ; « Mensuel malgré la Milice et la Gestapo »).

Le Franc-Tireur est imprimé sur quatre pages. Il comporte même la signature du gérant... fantaisiste, bien sûr :

"   Gérant : Contre-Amiral Platon, Imprimeur :
"   Contre-Amiral Bard. Adresser toutes réclamations au
"   Palais de l'Amirauté à Vichy.

L'éditorial, intitulé « Rassemblement ! », rejette d'abord la fiction de Vichy : « Tant que l'Allemagne ne sera pas vaincue, aucun effort valable de rénovation française ne pourra être entrepris utilement. Tout ce que le gouvernement de l'armistice peut faire n'est que provisoire et sera révisé par la France redevenue libre. »

Il évoque déjà le régime futur qui devrait être celui du pays après la victoire :

"   Nous voulons fonder après la guerre un régime
"   nouveau, synthèse entre l'autorité et la liberté,
"   une véritable démocratie débarrassée des bavardages
"   des partis et de la tutelle des trusts et des congréga-
"   tions financières. Nous ne voulons ni de dictature
"   militaire, ni de dictature religieuse.

Et, regroupant les Français pour la lutte, il précise cependant :

"   Nous ne voulons aucune revanche chauvine et
"   nous nous opposons d'avance à tout traité de paix qui

DÉCEMBRE 1941.

LE FRANC-TIREUR

Mensuel dans la mesure du possible et par la grâce de la Police du Maréchal

RASSEMBLEMENT !

La guerre est la pire calamité qui puisse fondre sur les peuples. C'est le signe de la barbarie et la négation du progrès humain. Mais ici, nous plaçons notre amour de la justice et de la liberté au-dessus de notre désir de paix.

La France d'avant 1939 était pacifique et pacifiste. Pacifique jusqu'à l'imprudence. Pacifiste jusqu'à l'aveuglement. Il n'est pas vrai qu'elle soit responsable de cette guerre. Elle lui a été imposée, après trop de reculades, par l'orgueilleuse folie de l'Allemagne hitlérienne.

[...] et l'incompréhension des classes riches en furent cause autant que la démagogie prétentieuse des chefs ouvriers.

On ne remédiera à rien par la dictature d'un seul parti, où les adhérents rivaliseraient de servilité à l'égard d'un quelconque potentat. Un régime fondé sur l'hégémonie d'un seul parti est contraire aux traditions françaises et ne peut vivre que dans l'arbitraire. Nous voulons fonder après la guerre un régime nouveau, synthèse entre l'autorité et la liberté, une véritable démocratie débarrassée des bavardages des partis et de la tutelle des trusts et des congrégations financières. Nous ne voulons ni de dictature prolétarienne, ni de dictature capitaliste, ni dictature militaire, ni de dictature religieuse.

Le premier numéro

"   renouvellerait les erreurs de Versailles. Mais nous
"   pensons qu'aucune paix véritable ne sera possible
"   tant que l'hitlérisme ne sera pas écrasé et que l'Alle-
"   magne n'aura pas fait son « mea culpa ».

Il n'est guère possible d'être plus clair, plus lucide... en décembre 1941.

Le reste du numéro comporte notamment une rubrique de nouvelles : « Ce que la censure veut faire taire », des citations de *Mein Kampf*, des échos, un article sur « l'Alsace crucifiée »...

Il n'y a pas encore beaucoup d'informations, mais c'est le cas de l'ensemble des journaux clandestins de l'époque. Nous les verrons se transformer peu à peu, et s'organiser pour être à même de présenter les faits dans leur vérité, qu'il s'agisse des fronts extérieurs ou du front intérieur de la Résistance. Du moins, *Le Franc-Tireur* va s'attacher à donner un ton qui leur soit propre à ses numéros.

L'un des fondateurs, Élie Péju, n'est pas lui-même journaliste ; il est le propriétaire d'une entreprise de déménagements, ce qui d'ailleurs donnera bien des facilités en de multiples occasions aux organisations résistantes. C'est un patriote solide, au regard avisé, résolu ; il milite depuis toujours dans les organisations politiques de gauche. C'est là qu'il a rencontré ceux qui vont se grouper autour de lui : Antoine Avinin, militant de la « Jeune République », Jean-Pierre Lévy et Jean Soudeille, deux socialistes, Noël Clavier, du « Groupe Duboin pour l'Abondance », tous occupés à des titres divers dans des entreprises industrielles ou commerciales, et Auguste Pinton, professeur d'histoire au lycée de Lyon, qui est, lui, radical. Très vite, Georges Altman s'y ajoute, que Péju a connu à *Clarté* de Barbusse, et qui, jusqu'à la guerre, était l'une des bonnes plumes de *La Lumière* ; celui-ci va partager bientôt, devenu « Chabot », la responsabilité directe du *Franc-Tireur* avec Élie Péju lui-même. Albert Bayet rejoindra le groupe plus tard, et sera en particulier, à partir du début de 1944, le responsable de l'*Édition de Paris* du journal. Tous appartiendront au Comité directeur du « Mouvement Franc-Tireur », où se trouvera aussi notamment Eugène Claudius Petit qui rêve de reconstruire la France.

Le premier imprimeur s'appelle Henri Chevalier ; il habite Cours de la Liberté ; il sera, plus tard, arrêté et déporté. Puis c'est Eugène Pons, le même qui s'est mis déjà à la disposition de *Témoignage chrétien*, un artisan lui aussi, qui imprime *Le Franc-Tireur* ; croyant, patriote, dévoué jusqu'à l'âme, il mourra, déporté, à Hambourg.

« Combat »

Combat, dont le premier numéro porte comme *Le Franc-Tireur* la date de décembre 1941, est-il en fait un journal nouveau ? Nous avons vu plus haut la filiation, en zone Sud : *Les Petites Ailes, Vérités...* Lorsque le « Mouvement de Libération nationale » qui les édite, fusionne avec le Mouvement « Liberté » constitué à partir du journal lancé à Marseille dès novembre 1940 — fusion décidée à Grenoble au cours d'une réunion qui met en présence les responsables des deux groupes,

Henri Frenay, François de Menthon et leurs amis, — c'est Henri Frenay qui propose ce titre : *Combat*. Il est aussitôt adopté. Il remplace d'ailleurs bientôt le nom donné à l'organisation commune « Mouvement de Libération française », encore que celui-ci figure longtemps en manchette de chaque numéro ; dans le langage courant et, devant l'Histoire, c'est du journal clandestin que naît l'appellation : « Mouvement Combat ».

L'équipe de *Combat* est dès le début particulièrement brillante. Elle vient d'horizons très divers. Elle comprend : Georges Bidault, professeur agrégé d'histoire et éditorialiste, avant la guerre, de *L'aube*, le journal démocrate chrétien de Francisque Gay, où il s'est révélé très remarquable et courageux commentateur de politique étrangère, François de Menthon et Pierre-Henri Teitgen, tous deux professeurs de Facultés de droit et démocrates-chrétiens, Claude Bourdet, écrivain et journaliste, René Cerf-Ferrière, journaliste venu de *La Flèche* de Gaston Bergery, Rémy Roure, qui vient de *Liberté*, Maurice Chevance-Bertin, officier d'active démissionnaire dès juin 1940, et, bien entendu, Henri Frenay.

Georges Bidault a d'abord — à partir de février 1942 — la rédaction en chef du journal ; ce sera plus tard, après septembre 1943, l'excellent journaliste qu'est Pascal Pia (« Renoir »), puis Albert Camus — professeur de philosophie qui recevra, un jour, le prix Nobel de Littérature. Collaboreront également à *Combat*, notamment : Jacqueline Bernard, qui, secrétaire de rédaction, est un rouage essentiel, Pierre Scize, Claude Aveline, Marcel Gimont, Georges Altschuler, Albert Ollivier, Jean-Paul Sartre...

58 numéros, plus des numéros spéciaux, vont paraître jusqu'en août 1944.

L'année 1941 s'achève. Elle est déjà jalonnée de victimes. La presse clandestine et les mouvements de résistance ne se distinguent guère, se portant l'un l'autre. La doctrine est souvent bien confuse encore, mais le ciment est la guerre qu'il faut, à tout prix, poursuivre, L'Amérique maintenant est entrée elle-même dans l'arène.

après Pearl Harbour. L'opinion se ressaisit peu à peu. Les émissions de Londres lui sont d'un grand secours. De la « France libre » les résistants espèrent une aide qui est, à l'évidence, indispensable.

A Londres, en même temps, la Résistance française commence à être mieux connue, appréciée.

Nous avons vu comment les Britanniques avaient de leur côté découvert, sous cette forme qui dépasse les besoins immédiats du « renseignement », les réalités du combat clandestin.

Il ne s'agit encore que d'une poignée d'hommes. On est, aujourd'hui, étonné de constater combien alors ils étaient en petit nombre ; on a l'impression de reconnaître « toujours les mêmes »...

L'effort, désormais, va pouvoir porter ses fruits.

A Londres.

1942
LA NATION
SE RASSEMBLE

Londres

« Dès la fin de l'année 1941, toutes les conditions matérielles nécessaires étant réunies pour réaliser des atterrissages clandestins, tant en zone libre qu'en zone occupée, nous disposions d'un certain nombre de terrains acceptés par la R.A.F., sur lesquels des spécialistes brevetés pouvaient se rendre ; les transmissions commençaient à fonctionner normalement. Malheureusement la période lunaire du 29 décembre au 8 janvier fut exécrable : le brouillard, la pluie, la neige et le givre se succédèrent sans interruption et nous empêchèrent de monter les opérations prévues, opérations qui devaient marquer pour nous le début d'une ère nouvelle en concrétisant les résultats des efforts de plus de dix-huit mois d'un travail acharné et continu. » C'est le Colonel Passy qui écrit ces lignes.

La plus importante opération de cette « ère nouvelle » est, en janvier, la parachutage de Jean Moulin, dans les Alpilles. « Max » (Passy l'appelle « Rex ») revient de Londres en qualité de représentant du Général de Gaulle auprès des mouvements de résistance de zone Sud. C'est dans l'appartement de la sœur de Georges Bidault, Mlle Marcelle Bidault — « Agnès » — alors à Marseille, qu'une rencontre est organisée avec Henri Frenay. Il y a bien des causes de malentendu. Les nombreux entretiens qui suivent, le travail en commun qui commence vont cependant avoir un rôle essentiel.

Parallèlement, Rémy qui a pu rejoindre Londres en février, ayant constitué l'admirable réseau C.N.D. (« Confrérie Notre-Dame »), revient en France en mars ; le Lysander qui l'amène repart avec deux résistants : François Faure, fils de l'historien de l'art Élie Faure, connu dans le réseau C.N.D. sous le nom de Paco, et Christian Pineau que nous avons vu déjà à la direction de *Libération* (zone Nord). Paco avait eu des contacts avec le parti communiste qui avait manifesté sa volonté de collaborer avec le Général de Gaulle « jusqu'à la victoire finale » ; c'est lui aussi qui parle pour la première fois à Londres des « Francs-Tireurs et Partisans »...

En avril 1942, c'est Pierre Brossolette — « Pedro » —, brillant universitaire, commentateur politique, avant guerre, au *Populaire* et à la radio, ardent, d'une intelligence vive, le visage ouvert, qui arrive à son tour grâce, aussi, à un Lysander. Il va être l'un des plus précieux conseillers de la « France libre », n'hésitant pas devant les plus dangereuses missions.

Une opération par voie de mer montée par les services britanniques sur la côte méditerranéenne, permet à la fin du même mois à Emmanuel d'Astier de la Vigerie, de *Libération* (zone Sud), de parvenir également à Londres.

Ainsi, la Résistance s'exprime.

Le mouvement entre la France et Londres se poursuit

désormais sans répit, sinon, toujours, sans heurts.

L'union autour de « La France libre » qui sera, à partir de mai, « La France combattante », se renforce.

Francs-tireurs et partisans

Pendant ce temps, une organisation nouvelle a vu le jour, due à l'initiative du Parti Communiste. Ce sont les « Francs-Tireurs et Partisans ». Dès janvier 1942, *France d'abord* est leur journal imprimé et se présente comme un « organe d'information sur le mouvement des patriotes français pour la libération du territoire » tandis qu'à partir du mois d'avril il sera effectivement « organe d'information, de liaison et de combat des détachements de Francs-Tireurs et Partisans », pour la zone Nord. Une manchette proclame : « Notre but : chasser l'envahisseur ! »

L'appel *France d'abord*, « cri d'émulation dans le devoir et le courage », « doit être aussi un appel à l'union de tous les Français autour des partisans français».

Et la définition du « partisan » est donnée dans les termes suivants, sous la signature « Le chef du groupe Jeanne Hachette » :

" Un partisan ne se distingue en rien des autres
" Français, dans la vie quotidienne. Il est posé, réfléchi
" et toujours en éveil, il sait voir, mais est capable
" de ne pas parler. Aucune preuve de son activité ne
" peut être trouvée, soit sur lui, soit chez lui, soit dans
" les lieux qu'il fréquente. Il ne fréquente ses compa-
" gnons que pour les nécessités de l'action. Il se conforme
" à une stricte discipline. Il veille toujours à s'assurer
" qu'il n'est pas suivi lorsqu'il doit se rendre à quelque
" endroit ou se rencontrer avec un ami.

D'autres consignes concernent la diffusion de la feuille périodique elle-même qui comptera, jusqu'en 1944, 62 numéros ainsi que plusieurs numéros spéciaux :

"   Passez ce journal de main en main, de famille en
"   famille ; c'est un devoir pour chacun de ne pas rompre
"   la chaîne. Employez les précautions les plus sages,
"   mais ayez recours à la ruse. Ceux qui portent au plus
"   haut point leur devoir de Français, comptent sur
"   vous comme vous devez compter sur eux pour aider
"   à chasser l'envahisseur infâme.

De telles recommandations, on les trouve du reste
dans toute la presse clandestine. A la même époque,
voici comment *Le Franc-Tireur*, par exemple, définit,
sur ce plan, ses

"   ### CONSIGNES D'ACTION
"   Nous ne saurions trop recommander à nos amis la
"   plus grande prudence. Distribuez notre journal
"   rapidement.
"   Évitez d'en garder longtemps des paquets chez
"   vous.
"   N'expédiez jamais un paquet de journaux par la
"   poste ; ne mettez jamais de nom sur un paquet ou
"   sur un journal.
"   Amis lecteurs, groupez-vous autour de nous ;
"   formez de petites équipes ; formez de petites cellules ;
"   peut-être un jour aurons-nous autre chose à vous
"   demander.
"   Enfin, soyez discrets : ne cherchez pas à savoir
"   qui fait notre journal ; ne cherchez pas à savoir
"   d'où il vient. Faites confiance à celui qui vous l'apporte.
"   Ceci dit, n'oubliez pas de faire lire le même exemplaire
"   par dix de vos amis. Ne confondons pas la prudence
"   et la frousse ; notre journal n'est pas fait pour ceux
"   qui, bien calés au fond d'un bon fauteuil, le liront en
"   cachette pour ensuite se hâter de le brûler... par
"   prudence :

Février 1942.

La guerre seule...

Dans le même numéro, pourquoi ne pas relever ici un texte qui montre bien les sentiments qu'ont pu éprouver des Français devant les événements de la guerre et l'intervention de la Russie dans le conflit ? Il s'agit, pour un journal comme *Le Franc-Tireur*, de combattre l'intense propagande germano-vichyssoise en faveur d'un « front antibolchevique » :

> ### PAS D'ÉQUIVOQUE
> Nous applaudissons de tout cœur aux victoires des Russes, et nous nous réjouissons de la pâtée qu'ils flanquent aux Boches. Peu nous importe QUI bat le Boche. L'essentiel c'est qu'il soit battu.
> Mais ceci ne signifie en aucune façon que nous ayons la moindre sympathie pour le régime politique de l'U.R.S.S. Nous ne saurions être plus indulgents pour le totalitarisme bolchevick que pour le totalitarisme nazi. Ils sont frères et nous sommes hostiles aux DEUX.
> Pas davantage nous n'oublions l'attitude passée des communistes français, ou plutôt leurs attitudes, car ils en changèrent aussi souvent que le nécessitèrent les tournants de la tortueuse politique de Staline.
> Nous voulons flanquer Hitler dehors et ses collaborateurs français dedans.
> Mais quant au bolchevisme, pas de ça chez nous.
> Et disons encore une fois aux Français : PERSONNE NE GAGNERA LA GUERRE POUR VOUS !

Le même souci, quasiment la même expression, nous les retrouvons dans *Combat* (le premier fascicule de mars 1942) :

> ### HOMMAGE A L'ARMÉE RUSSE
> Au moment où les Armées alliées subissent des échecs momentanés en Extrême-Orient, c'est avec reconnaissance que nous suivons les efforts héroïques

"   de l'Armée russe dans sa lutte victorieuse contre
"   les forces allemandes. Chaque Français, ennemi
"   de l'Allemagne et quelles que soient ses opinions
"   politiques, se rend compte du service inestimable
"   que l'U.R.S.S. rend actuellement à notre cause.
"   Quelle serait notre détresse si ces offensives d'hiver,
"   en usant la Wehrmacht, n'avaient renforcé nos
"   raisons d'espérer et notre Foi !...
"   ... Il est possible que nos alliés russes, sous la pous-
"   sée désespérée de l'offensive de printemps que pré-
"   pare Hitler soient contraints de reculer. Mais ils
"   tiendront contre l'envahisseur. Ils préparent déjà
"   la deuxième campagne d'hiver qui verra l'effondre-
"   ment des hordes nazies. Si nous ne partageons pas
"   avec la Russie ses opinions politiques, c'est une raison
"   de plus pour nous de rendre hommage à son héroïque
"   armée et à ses chefs.

Devant la Cour de Riom

A propos d'un discours du Maréchal Pétain à la « Légion
française des Combattants et des Volontaires de la
Révolution nationale », Jacques Duchesne et Jean
Marin, dans l'émission « Les Français parlent aux Français » — « Aujourd'hui 595ᵉ Jour de la lutte du peuple
français pour sa libération » —, ont déjà, quelques semaines auparavant, évoqué la véritable unité de la France.
« Les Français, beaucoup plus que le Maréchal Pétain,
a dit Jean Marin de sa chaude voix bien timbrée, veulent
l'unité et sont capables de la faire. Ils la font déjà, mais
dans la résistance, dans la volonté de libération... »
De fait, de plus en plus, et de façon très brutale désormais, l'illusion créée et entretenue par le régime de
Vichy est combattue par la Résistance.
Le 19 février, le procès des « responsables de la défaite »
vient de s'ouvrir devant la Cour de Riom. Dans son
numéro de janvier 1942, *Le Franc-Tireur* a dénoncé
« cette parodie de justice », sous le titre qui rappelle le

fameux « J'accuse » : « Nous accusons !!!... » Les décisions à venir seront nulles, affirme le journal avec force,
car « le Pays n'est pas libre », les « magistrats réunis
à Riom ne sont pas libres » et « le Gouvernement n'est
lui-même ni libre. ni légal ; il s'est emparé du pouvoir
sous la pression des armées ennemies ; il est aux ordres
d'une puissance étrangère ».

"   ... Nous désignons le responsable principal... c'est
"   Pétain.
"   ... Nous accusons le Maréchal Pétain des erreurs
"   militaires de 1940...
"   ... Nous accusons le Maréchal Pétain d'avoir
"   réussi en juin 1940 la capitulation qu'il avait tentée
"   en mars et mai 1918, que Clemenceau, Poincaré
"   et Foch avaient fait échouer, et d'avoir ainsi pu
"   réaliser son rêve sénile d'autorité personnelle, même
"   en ramassant ce pouvoir dans le fumier de la défaite...

Combat écrit de même :

"   L'histoire dira ce que fut la capitulation : une
"   immense erreur, un crime contre la Patrie. Elle a
"   été exigée par une maffia dont l'instrument visible
"   fut Pierre Laval, elle a été préparée de longue date
"   par la corruption et par la trahison. En propres
"   termes la France a été livrée. Il s'agissait de cons-
"   truire avec l'aide de l'ennemi un état vassal, un État
"   qui ne pouvait être fondé que sur un renversement
"   d'alliances : rompre avec les nations démocratiques,
"   s'allier aux nations totalitaires. La Révolution dite
"   « nationale » est un fruit pourri. L'armistice a pro-
"   longé la guerre, tous les événements qui se sont
"   produits depuis juin 1940 le démontrent un peu plus
"   chaque jour...

Ces lignes sont extraites du premier fascicule de
février 1942 de *Combat*. *Franc-Tireur* et *Combat* sont
deux journaux clandestins édités en zone non-occupée ;
leur prise de position est donc particulièrement
significative.

Retour de Laval au pouvoir

Si certains doutaient encore, le retour de Laval au pouvoir comme chef de gouvernement, le 18 avril, doit achever de dessiller les yeux.

La France allait-elle donc être vraiment « l'alliée de l'Allemagne » ?

Une « Lettre au Maréchal Pétain » ouvre le premier fascicule de *Combat* en mai 1942 :

> ... Nous gardons... confiance dans notre Patrie. Nous la servirons avec ferveur. Nous lui sacrifierons notre liberté et s'il le faut notre vie. *Mais nous ne vous suivrons pas.*
>
> La France entière contre Laval est désormais contre vous.
>
> Vous l'avez voulu !
>
> *Combat.*

La répression, avec Pierre Laval, se fait aussitôt plus impitoyable.

> Depuis l'arrivée de Pierre Laval au pouvoir, les arrestations se multiplient. De toutes les villes de France, on nous signale quotidiennement des actes particulièrement révoltants de la Gestapo franco-allemande. Après les Juifs, les Communistes, les syndiqués, des docteurs, des avocats, des ouvriers, des familles entières d'innocents sont arrêtés, emprisonnés, fusillés ! A Troyes, à Bordeaux, au Polygone de Vincennes, à Autun, à Caen, partout le sang coule ! Et Vichy se tait !
>
> N'y a-t-il donc personne à Vichy pour crier devant le monde l'indignation de la conscience française ?...

Ainsi s'exclame *Le Coq enchaîné* qui s'intitule « Journal officiel du gouvernement libre de Paris[32] ».

Pierre Laval à Vichy.

« Le Père Duchesne »

Après la naissance de plusieurs « grands » journaux dans le courant de 1941 et, surtout, dans les derniers mois, l'année 1942, au contraire, voit peu de feuilles nouvelles.

Voilà cependant un titre célèbre qui porte fièrement : 151e année. *Le Père Duchesne*, reparu en avril 1942,

1ᵉ ANNÉE — AVRIL 1942

Le Père Duchesne

Haine aux tyrans, la Liberté ou la Mort

Douleur et Fureur!

Ce journal est fait pour crier.

Pour crier la rage, le dégoût et la honte des Français.

La rage d'être affamés et pillés après avoir été vendus.

Le dégoût envers les traîtres.

La honte d'être esclaves.

Prête-nous ta voix populaire et furieuse *Père Duchesne* de la Révolution, rappelle-nous tes injures et tes imprécations ! Nous n'en aurons jamais assez contre le tyran des affamés, ses hordes, ses suppôts, ses vendus, étrangleurs de la liberté, tueurs de républiques, fusilleurs et bourreaux.

Le Père Duchesne, c'est toi, c'est vous, c'est nous. Fils des Droits de l'Homme, de la Révolution et de la Liberté s'appelle Duchesne comme Durand ou Dupont ou Gaillard Meunier ; on s'appelle le Père Duchesne parce qu'au temps de la Grande Révolution, la vraie, la nôtre, celle dont nous vivons encore, celle qui brille toujours au firmament de l'Humanité, celle qui par la mort des tyrans, le peuple de 93 trouva un jour un mufle et de sa colère dans un journal nommé le *Père Duchesne*.

Et chaque jour il était « bougrement en colère », le *Père Duchesne*.

C'est pourquoi il doit renaître aujourd'hui, car la France a besoin d'être bougrement en colère.

Elle commence. Elle ne l'est pas encore assez.

Douleur et fureur. Est-ce que ça va continuer longtemps ? Est-ce que nous allons continuer à nous taire, dans la série des hommes libres ? Est-ce que nous allons continuer à attendre que les Anglais, les Américains, les Russes, les mois avec tous les peuples conçoit mais rebelles et qui restent, eux, est-ce que nous allons continuer à attendre que le monde entier nous donne l'exemple ?

Nous voulons dire, crier aux Français :

Préparez-vous dans votre âme et dans votre cœur !

Redevenez vous-mêmes.

Ne vous soumettez jamais au joug de l'étranger et des tyrans !

Méprisez les lâches, les vendus, les complices.

les voies de notre « pénitence » et de notre « salut », les uns regrettant Capet, les autres appelant Hitler.

Mais tous souillant l'image du grand peuple de France, réduisant son fier génie frondeur, à une caricature, mettant sa lumière sous le boisseau. La France de Montaigne, de Rabelais, de Voltaire, de Hugo, de la France des Révolutions et des Philosophes, ils veulent faire une fille si péché docile à la botte nazi ! Quels misérables et quels fous ;

Ah ! bougre de bougre ! comme disait notre ancêtre le Père Duchesne de 93, on se fout du peuple ! Et le peuple français commence à s'en apercevoir.

Tremblez, canailles, installées au pouvoir par les tanks de l'ennemi. Vos maîtres sont en train de crever dans les neiges et les plaines de Russie. Ne comptez pas sur les Japonais pour les empêcher de sombrer un jour dans la défaite, la couleur ment de tous les peuples, libres, la Saint-Barthélemy européenne de tous les nazis.

A vous, Français, Parisiens du Faubourg Antoine et de Belleville, Lyonnais, fils de ceux qui descendaient de la Croix-Rousse pour vivre en travaillant ou mourir en combattant, Marseillais, qui partirent, à la France son âme impétueux, ouvriers, paysans, artisans attachés de toute votre chair et de tout votre cœur à la Liberté fondée par vos pères, gens des villes et des villages, c'est à vous que la voix du Père Duchesne 1942 va crier aussi fort et aussi souvent qu'elle le pourra le cri d'alarme et d'espoir, c'est pour vous aussi, écrivains, savants, penseurs poètes, étudiants que nous voulons renouer la grande et véhémente tradition d'une France qui raille, qui fouille l'oppresseur avant de le chasser.

Pour que revive la France : haine au tyran Hitler ! Haine à ses agents et Vive la Vieille Liberté Française !

Le Père Duchesne à ses confrères

En revenant sur la terre, le *Père Duchesne* entend tout

Haine aux tyrans.

affirme en manchette, comme son ancêtre : « Haine aux tyrans, la Liberté ou la Mort ».

C'est l'équipe du *Franc-Tireur* qui a jugé bon de s'adjoindre cette feuille satirique. Élie Péju et Georges Altman y sont associés au tempérament de polémiste d'Yves Farge, alors « Bessonneau » ou « Petrequin », et qui sera bientôt, futur Commissaire de la République, « Bonaventure » et « Grégoire[33] ». Albert Bayet collabore au nᵒ 3.

Quelle profession de foi, pour commencer, sous les auspices doubles de « Douleur et Fureur ! »

"   Ce journal est fait pour crier.
"   Pour crier la rage, le dégoût et la honte des Français.
"   La rage d'être affamés et pillés après avoir été
"   vendus.
"   Le dégoût envers les traîtres.
"   La honte d'être esclave...
"   Prête-nous ta voix populaire et furieuse, *Père*
' *Duchesne* de la Révolution, rappelle-nous tes injures
" et tes imprécations ! Nous n'en n'aurons jamais
" assez contre le tyran des Peuples, ses hordes, ses
" suppôts, ses vendus, étrangleurs de liberté, tueurs
" de Républiques, fusilleurs et bourreaux.
"   *Le Père Duchesne*, c'est toi, c'est vous, c'est nous,
" Français des Droits de l'Homme, de la Révolution
" et de la Liberté. On s'appelle Duchesne comme
" Durand ou Dupont ou Gaillard ou Meunier ; on
" s'appelle *Le Père Duchesne* parce qu'au temps de la
" Grande Révolution, la vraie, la nôtre, celle dont
" nous vivons encore, celle qui brille toujours au
" firmament de l'Humanité, celle qui jura la mort
" des tyrans, le peuple de 93 retrouva un peu de son
" souffle et de sa colère dans un journal nommé le
" *Père Duchesne*.
"   Et chaque jour il était « bougrement en colère »,
" le *Père Duchesne*.
"   C'est pourquoi il doit renaître aujourd'hui, car la
" France a besoin d'être bougrement en colère.
"   Elle commence, Elle ne l'est pas encore assez.
"   Douleur et fureur, Est-ce que ça va continuer
" longtemps ainsi ? Est-ce que nous allons continuer
" à nous taire, dans la Patrie des hommes libres ?...

On retrouvera le même style enflammé dans les quatre numéros qui paraîtront, en 1942 et 1943, imprimés à Lyon.

D'autres voix...

Lyon est une capitale. Elle se veut même « la capitale de la Résistance ».

D'autres voix vont s'exprimer en province.

En mars 1942, à Grenoble, paraît le premier numéro d'un journal qui s'intitule *Les Allobroges*, « organe du Front national de lutte pour l'indépendance de la France ». Sous ses auspices, le 14 juillet 1942, une vraie manifestation a eu lieu dans la grande cité dauphinoise.

« C'est une première victoire », écrivent alors *Les Allobroges*, qui soulignent (n° 5, juillet 1942) le fait que « par milliers » la population est accourue « de la ville et de la campagne » affirmer sa « volonté de chasser l'envahisseur et les traîtres à sa solde... » « Par toute la ville vibrante d'enthousiasme, commente encore le journal, vos couplets ardents et vos clameurs vengeresses ont retenti. Par votre masse, par votre discipline, vous avez fait rentrer sous terre les meneurs doriotistes, les S.O.L. ou mercenaires de la Légion. »

À Saint-Étienne, Jean Nocher, journaliste ardent de *L'Œuvre* d'avant guerre, bouillant polémiste, a, pour sa part, fait sortir une feuille qu'il appelle *Espoir*. La manchette, digne de sa bonne plume, est tout un programme : « Combat le mensonge, organise la résistance, prépare la libération ! »

En mai 1942, en zone Sud aussi — imprimé à Lyon d'abord, puis à Saint-Claude, dans le Jura — *Le Populaire* reparaît. Sa publication est tout à fait indépendante de ce qu'ont mis sur pied, en zone occupée, Robert Verdier et ses amis, et, dans un an, lorsque *Socialisme et Liberté* aura changé de titre, il y aura donc deux éditions distinctes du journal socialiste, sous le même titre. Ici, l'animateur clandestin est Daniel Mayer.

Aussitôt, *Le Populaire* nouveau connaît un réel succès. Des manifestations sont même organisées en liaison avec d'autres mouvements de résistance. Pour le premier mai, « Lyon, Marseille, en particulier, Saint-Étienne, Clermont, Avignon, Toulouse, Chambéry, Nice même ont répondu à l'appel commun des diverses organisations

Nouvelle série. — N 2   Prix minimum 2 fr. - Aidez-nous !   15 juin 1942.

LE POPULAIRE

ORGANE DU COMITE D'ACTION SOCIALISTE

UN MANIFESTE
du Comité d'Action Socialiste

Le ravage règne sur le monde. Les hommes, chaque jour,
meurt par milliers. Typhus
et famine gagnent peu à peu
les continents. En Europe, on
compte sur les doigts d'une
main les pays qui con-
naissent, sous la quiétude, mais
une relative paix. Les rivages

méditerranéens, les îles lointai-
nes du Pacifique, l'Orient, le
monde entier sont embrasés.
Les hommes se battent à la fois
au cap Nord et sous le soleil
brûlant d'Afrique.

Les vieux savent qu'ils ne
verront plus de jours heureux. Les hommes mûrs n'ont
pas d'espoir. Les jeunes ont soif
de jouissance, sans plus.

Aucune lueur ne semble apparaître dans le monde en folle.
Cependant, de ce chaos universel, des forces de barbarie
écrasées doit sortir le régime
nouveau qui assurera aux hommes le pain et la paix.
L'Amérique, d'Angleterre, de
Russie, des pays occupés même,
des voix s'élèvent, qui évoquent
le monde de demain : humain,
fraternel, socialiste.

nouvellement et de rajeunisse-
ment nécessaires.

Le Comité d'Action Socialiste,
tel qu'il s'est constitué aujour-
d'hui dans l'illégalité, tel qu'il
se présentera demain librement
au Peuple, a procédé à de se-
vères examens de conscience.
Il a rompu délibérément et définitivement avec ceux de ses
membres dont le courage moral
ou physique était inférieur à
l'instinct de conservation immédiate. Il a rompu délibérément et définitivement avec ceux
de ses élus qui n'ont pas su
manifester leur attachement à
la République en s'élevant contre les tentatives de césarisme
qui ont préféré pactiser avec
la force provisoirement triom-
phale plutôt que poursuivre la
lutte. Justement, le Comité

ainsi que le nationalisme de
Hitler se pare de l'adjectif « socialiste » ; que les grands fauteurs de guerre déclarent les
partisans de la paix, que le
mouvement réactionnaire né en
France de la défaite déclare
être une « révolution nationale », tandis que le langage gouvernemental tente de faire croire que ce sont « nos promes-
ses » que tient le Chef de l'État
— et que M. Laval 'rend hommage à la liberté qu'il étrangle.

Lire la suite en 3e page.

ENTRE NOUS

Le premier numéro du nouveau
Populaire a obtenu le plus
vif succès. Nos exemplaires se
sont arrachés. On nous en a re-
demandé d'autres. On en a manqué partout.

Pourtant, il s'agissait d'une petite feuille ronéotypée, de présentation misérable, de mince for-

DEUX DATES

1er Mai - 14 Juillet
Le comité d'Action socialiste a

En Zone Sud.

de résistance, et l'on chiffre par centaines de milliers
le nombre des participants » (N° 2, 15 juin).

Le « Manifeste[34] » qu'il publie tend essentiellement
à engager l'ensemble de la nation dans « la lutte pour
l'indépendance nationale » ; il témoigne de sa confiance
à l'égard d'une « démocratie politique » qui ne sera pas
forcément semblable à celle de la Troisième République ;
en attendant, vis-à-vis du « gaullisme », il n'hésite pas
à prendre position : « Pour nous, le Général de Gaulle
est le symbole naturel et nécessaire de la résistance
et de la libération. »

Faut-il citer également les feuillets multigraphiés qui se placent sous le patronage de Clemenceau et de sa formule célèbre : « Je fais la guerre » ? *Le Tigre* ne publiera que deux numéros, en mai et juillet. C'est Jean-Jacques Oudin qui l'édite, alors qu'il a créé avec Jacques Lusseyran un mouvement de jeunes « les Volontaires de la liberté » ; tous deux sont ensuite accaparés par la diffusion de *Défense de la France* à laquelle ils se consacrent entièrement. L'un et l'autre seront d'ailleurs arrêtés tour à tour en juillet 1943 et janvier 1944. Leurs successeurs pour la diffusion de *D.F.* seront Georges Drin, arrêté en février 1944, puis Francette Drin et Jacques Richet.

Comité général d'études
Bureau d'information et de presse

Mais « Max » — Jean Moulin — a beaucoup travaillé depuis son retour en France. Il a pris de multiples contacts avec les diverses organisations de Résistance de zone Sud, établi les liaisons de chacune avec Londres. Il a même constitué deux services communs à tous les mouvements : le « Service des opérations aériennes et maritimes » et le « Service radio ».

Et maintenant, il suscite la création d'un organisme chargé de préparer les mesures à prendre lors de la Libération et de conseiller, le moment venu, le gouvernement provisoire. Le Comité Général d'Études (C.G.E.), que la Résistance nommera vite, à la fois satisfaite et inquiète, « Comité des experts » ou « Club des cerveaux », comporte dès l'origine : Paul Bastid (« Primus »), professeur de droit, ancien député radical et président du groupe des 60 parlementaires ayant voté « contre » à Vichy ; Robert Lacoste (« Secondus »), syndicaliste et militant socialiste ; François de Menthon (« Tertius »), lui aussi professeur de droit, l'un des fondateurs du groupe « Liberté », devenu membre du Comité directeur de « Combat », démocrate chrétien ; Alexandre Parodi (« Quartus »), maître des requêtes au Conseil d'État, ancien directeur au ministère du Travail révoqué par Vichy. Le Secrétaire général est Pierre-Henri Teitgen, lui aussi du groupe « Liberté » ; son pseudonyme est « Tristan ». René Courtin est ensuite adjoint à ce dernier.

Le C.G.E. va dès lors multiplier les études, les rapports, les notes, à l'intention de la « France combattante ». Il étendra, bien entendu, ses consultations à la zone Nord. A partir d'avril 1943, il publiera même, nous le verrons plus loin, une importante revue : *Les Cahiers politiques*.

Assurément, ces travaux ont une double utilité : faire connaître à Londres, puis à Alger, les idées élaborées au sein même du pays envahi sur les problèmes politiques, administratifs, sociaux, économiques, constitutionnels de la France de demain ; permettre à la France libre de faire apprécier par les Alliés le sérieux et la qualité de la Résistance intérieure et, par suite, la représentativité réelle des Français demeurés engagés dans la guerre.

Jean Moulin prend également l'initiative de constituer un « Bureau d'information et de presse », le B.I.P. C'est en avril 1942 que Jean Moulin avise Londres, par télégramme, de cette création et du fait que Georges Bidault accepte de diriger ce nouveau service.

Pour accomplir cette tâche, Georges Bidault, qui se fait appeler « Rousseau », quitte la rédaction en chef de *Combat*. Il va se faire assister de Pierre Corval, du *Progrès de Lyon*[35], ainsi que d'autres journalistes comme Rémy Roure, Louis Terrenoire, Yves Farge, Pierre-Louis Falaize... André Sauger est du nombre de ses informateurs réguliers lorsqu'il va, une fois par semaine, à Vichy. Pierre et Annie Hervé, surtout au début, l'assistent souvent.

113

Le « Bureau de Presse de la France combattante »
ne cessera plus jusqu'en 1944 de rédiger et de diffuser
un *Bulletin d'informations générales* destiné à la fois
aux mouvements et à Londres. La radio de la « France
combattante » s'en servira constamment[36], de même
que la presse clandestine. La parution en est très fréquente, voire quotidienne. « Ces *Bulletins*, dira le Colonel
Passy, tirés au début à une centaine d'exemplaires et,
plus tard, à deux ou trois cents, nous furent envoyés
mensuellement, puis tous les quinze jours, toutes les
semaines et même deux fois par semaine, grâce aux
opérations de parachutage ou, le plus souvent, par
l'intermédiaire d'une boîte aux lettres en Suisse. »

Il s'agit de feuillets dactylographiés, compacts, nourris
d'une quantité considérable d'informations rassemblées
de toutes les sources possibles, et que des commentaires
complètent avec une intelligence courageuse et lucide.

Quand « Bid » — l'abréviation est devenue le surnom
amical donné à Georges Bidault, Albert Bayet dira même
« le roi Bid » — quittera Lyon pour Paris, on le retrouvera au « Patronage Championnet » dirigé par l'abbé
Borme. Un des hauts lieux de la Résistance, ce Patronage de la rue Championnet ! Que de journaux clandestins y trouvèrent l'appui de vaillants diffuseurs, que de
« boîtes aux lettres » y furent installées, que de rendez-
vous s'y sont donnés, que de réunions s'y tinrent !

Pour une Constitution nouvelle

Un des résultats des voyages accomplis par des résistants à Londres, au début de 1942, apparaît dans les
déclarations que le Général de Gaulle va faire à partir
de mai 1942. Pour de Gaulle, il n'a jamais été question
que de la France, de sa grandeur, de sa mission, de sa
place dans la guerre. Pour la Résistance, le sort politique
du pays, une fois la victoire acquise, importe essentiellement, et il est nécessaire, déjà, de le définir ; Henri

Frenay, Christian Pineau et d'autres l'ont dit au Général de Gaulle. Celui-ci va saisir la première occasion pour exprimer ses idées sur ce point ; il donne ainsi satisfaction à ceux qui, dans la nuit, penchés sur leur poste de radio, prêtent l'oreille la plus attentive, malgré les brouillages, à tout ce qui, du monde extérieur, leur apporte la liberté...

Il parle ainsi dans sa conférence de presse du 27 mai, devant les représentants de la presse alliée, des mouvements de résistance : « Eh bien, les chefs de ces mouvements, dit le Général de Gaulle, sont tous des hommes nouveaux, nous les connaissons et nous sommes en rapport avec eux. » Puis, il ajoute : « Moi-même et l'immense majorité des Français, dont je connais l'opinion, sommes tout à fait résolus à recouvrer intégralement la souveraineté nationale et la forme républicaine du gouvernement. Je ne crois pas que la forme de la future Constitution française sera exactement la même que celle d'avant guerre. Mais c'est là une opinion personnelle, et il appartiendra à la future Assemblée nationale de décider de la Constitution française. »

Le 23 juin, dans un manifeste particulièrement important — « adopté en Comité National après avoir pris, en France, l'avis des mouvements et celui de la délégation », écrira le Général de Gaulle dans ses *Mémoires de Guerre* — il affirme de nouveau sa volonté républicaine et démocratique, et la presse clandestine s'en fait largement écho, en même temps que la radio de Brazzaville, de Beyrouth et de Londres. « Tandis que le peuple français s'unit pour la victoire, il s'assemble pour une révolution »...

C'est vers ce moment que l'Organisation Civile et Militaire publie son premier *Cahier*, daté de juin 1942. Quatre se succéderont dans les deux années qui suivent. La couverture de papier gris, bleu, jaune ou vert, ne porte que ce seul mot : CAHIER. A l'intérieur, les feuilles, en fascicules, ne sont pas brochées. Il y a environ deux cents pages. Le faux-titre est un peu plus explicite : « *Les Cahiers — Études pour une révolution française* ». Les trois lettres « O.C.M. » forment la signature.

Les fondateurs de l'O.C.M., Jacques Arthuys, officier

aviateur de la première guerre mondiale et industriel, et le Colonel Heurteaux, l' « as » connu, ont été arrêtés — le premier dès le 21 décembre 1941. Le chef du Mouvement est encore le Colonel Alfred Touny qui sera arrêté à son tour en février 1944 — ses restes seront, après la Libération, transférés au Mémorial du Mont Valérien. Parmi les dirigeants figure, comme responsable des activités « civiles », Maxime Blocq-Mascart. Auteur de quelques écrits sur des sujets économiques, celui-ci a le goût d'élaborer des plans ; il se veut technocrate. Les *Cahiers* de l'O.C.M. naissent de son inspiration, et il est pour une large part l'auteur du premier volume.

La « présentation des *Cahiers* » se situe déjà « au-delà de la Résistance » :

" La résistance est plus qu'une position transitoire
" dictée par les circonstances. Elle est une étape très
" importante dans la construction d'une France
" nouvelle.

Les premiers textes sont des « chroniques » datées de janvier 1941 (« La libération »), février 1941 (« Les Forces en présence »), janvier 1942 (« La Résistance ») et juin 1942 (« Du côté de chez Pétain »).

Suivent, sous la rubrique « Doctrines », des études consacrées à « la réforme constitutionnelle ».

Ce *Cahier* est ainsi, en fait, essentiellement axé sur des problèmes de théorie constitutionnelle : critique des constitutions antérieures et tableau de ce que doit être la Constitution de demain ; en annexe, un « Préambule à la Constitution » est même rédigé « en forme ».

Deux autres chapitres composent encore le volume. L'un, sur « les responsabilités et les sanctions », énumère les raisons qu'aura le « gouvernement de la France libérée » de sanctionner « les actes commis au cours de l'occupation étrangère ». L'autre, très étendu, s'intitule : « Les minorités nationales[37] » ; il s'agit — étrange préoccupation, qui choque en ce temps de haine — du judaïsme et de la « question juive en France » !

On y trouve des affirmations telles que celles-ci :

"   ... Pour conserver le caractère français des Juifs
"   de France, il est nécessaire, au contraire de ce qui a
"   été fait, de les préserver des apports étrangers.
"   *L'arrêt de l'immigration juive* est nécessaire aussi
"   pour permettre de poser objectivement et de résoudre
"   avec loyauté le problème juif français : il faut assurer
"   à ses données mouvantes par leur caractère humain,
"   le maximum de stabilité.

Ou bien :

"   Le problème juif est une partie — sans doute
"   la plus importante — du problème des minorités
"   d'origine étrangère et des minorités non chrétiennes
"   en France, et c'est dans un *statut des minorités* que
"   doit se trouver sa solution.

Et encore :

"   Un certain nombre de questions soulevées actuel-
"   lement par le problème des minorités se trouveront
"   résolues par les solutions apportées à d'autres pro-
"   blèmes d'intérêt général (organisation économique
"   de la nation, activité des sociétés secrètes, etc...)

Comme il fallait s'y attendre, de tels textes soulèvent
plus d'une protestation indignée. L'O.C.M., pendant
un temps, va même avoir une réputation médiocre dans
la Résistance elle-même, et il faudra son action efficace
dans les domaines militaire et du renseignement pour
l'effacer peu à peu.

Le groupe « Maintenir » qui, lui, s'est consacré spontanément, entre autres tâches, à la rédaction d'un
important projet de réforme de l'éducation nationale,
hésitera avant de donner son travail à l'O.C.M. et,
dans le second volume qui paraît vers la fin de l'année,
une note, s'adressant « Aux lecteurs du premier
Cahier », apporte des réponses et précisions de la part
des « groupes de rédacteurs du premier *Cahier* », ce qui
distingue bien ceux-ci des auteurs du second fascicule...

Les persécutions raciales

Depuis la fin de mai 1942, les Israélites de zone occupée sont obligés de porter l'étoile jaune cousue, visiblement, sur la poitrine. A la mi-mai, Pierre Laval exhorte les ouvriers français à aller travailler en Allemagne ; c'est le début de ce que les pouvoirs officiels appellent « la relève » — et bientôt le Service du Travail Obligatoire sera institué. En juillet, des arrestations massives de Juifs sont opérées à Paris et dans la région parisienne, et, le cœur serré, on peut voir des familles entières, lamentables, internées au Vélodrome d'Hiver avant la déportation en Allemagne. Dans le courant du mois d'août, un communiqué allemand annonce l'exécution de 93 « terroristes »...

Quel accent, dans les *Cahiers du Témoignage chrétien*, dénonce l'infamie ! Le fascicule VI-VII, daté d'avril-mai, est précisément intitulé :

ANTISÉMITES

" ... Profitant de la défaite de nos armes et de la
" protection du vainqueur pour faire passer dans nos
" institutions des textes de lois et des décrets qui
" déshonorent leurs victimes sans défense, pour mieux
" les frapper d'interdit de vie française, les antisémites
" interprètent le silence forcé de la Nation comme un
" acte d'acquiescement.
"   *Français et Chrétiens, nous venons rompre solennel-*
" *lement ce silence.*
"   En se prolongeant plus longtemps, ce silence
" chargerait nos consciences et placerait aux yeux du
" monde étonné toute la France et surtout la France
" chrétienne en état de complicité.
"   *La France tout court n'entend pas être complice.*
"   Au jour de la défaite hitlérienne, qui sera sans
" doute, pour nos antisémites joyeux d'aujourd'hui,
" en même temps qu'une amère déception un jour de
" deuil « national », quand les peuples libérés de la
" servitude feront le bilan de ces années de misère et
" de gloire, notre *Témoignage* sera compté à l'actif de

Contre le racisme dans les deux zones

"	la tradition française qui n'aura pas démérité de
"	ses conquêtes spirituelles passées ni douté de son
"	avenir...

Et quand la persécution s'étendra de zone occupée en
zone Sud, *Le Franc-Tireur* reprendra, au nom de l'humanisme, la même protestation véhémente :

LA FRANCE DÉSHONORÉE

" Comme *Le Franc-Tireur* l'avait annoncé dans son
" tract spécial dirigé « contre l'immonde persécution »
" raciste, les horreurs qui se sont déroulées à Paris,
" déferlent depuis le 26 août sur toute la zone dite libre.
" A Lyon, Toulouse, Marseille, Nice, Montélimar,
" dans les bourgs et les villages de tous les départements,
" la population française, indignée, a été témoin de
" scènes infâmes et déchirantes : la battue des mal-
" heureux réfugiés israélites que Vichy livre aux
" bourreaux hitlériens. Des vieillards de 60 ans, des
" femmes et des gosses, de malheureux gosses, ont été,
" avec les hommes, empilés dans des trains qui partent
" vers le Reich et vers la mort...
" ... C'est dans notre patrie que cette abjection se
" passe.
" ... Vichy semble s'acharner à déshonorer la France.
" Cette fois-ci encore, la révolte et le dégoût de la
" conscience française lui répondent.
" Et toutes les forces de liberté se dressent contre les
" valets de bourreaux.

N° 11, septembre 1942.

En zone non occupée, *Fraternité*, en zone occupée
J'accuse (n° 1, 10 octobre 1942) sont l'un et l'autre
l' « organe de liaison des forces françaises contre la
barbarie raciste » puis se transforment en « Organe du
mouvement national contre le racisme ». Le premier
est multigraphié à Lyon dans les bureaux d'*Express
Documents* où Manuel Molina, qui s'occupait, avant la
guerre, du syndicalisme des cadres, à la C.G.T., est,
« replié », devenu conseil juridique.

La porte de la gloire

Mais l'espoir ne peut quitter la France... Les ondes libres et la presse clandestine retentissent d'un haut fait dû à nos armes. Bir-Hakeim entre dans l'Histoire... *Libération* (zone Sud), du 24 juin 1942, contient ces lignes :

"   Ce n'est qu'un épisode dans la guerre. Ce n'est
"   qu'un des combats de la bataille de Libye.
"   Pour la France, c'est une résurrection.

Et l'héroïsme de la garnison placée sous les ordres du Général Koenig suscite l'admiration du monde :

"   ... « Bir-Hakeim, Verdun du désert » écrit le
"   plus grand journal londonien.
"   Bir-Hakeim, c'est la France tout entière qui rentre
"   dans la guerre par la porte de la gloire...

Cette porte de la gloire, d'autres s'y présentent dans la pureté du combat de l'esprit.

Jusqu'ici, la presse clandestine s'est jetée dans la bataille quotidienne et y a consacré toutes ses forces.

Dans la patrie de Montaigne et de Pascal, de Racine et de Voltaire, un journal apparaît maintenant qui entend se consacrer aux *Lettres françaises* — car tel est son titre. Les temps sont encore affreusement sombres et cruels. Mais pourquoi ne pas célébrer les lettres libres ? Et pourquoi, surtout ne pas crier « la vérité » ?

Le n° 2 d'octobre 1942 l'affirme, à l'issue d'une belle page émouvante, due à l'élan généreux d'Édith Thomas :

"   ... J'ai vu passer un train. En tête, un wagon
"   contenait des gendarmes français et des soldats
"   allemands. Puis, venaient des wagons à bestiaux
"   plombés. Des bras maigres d'enfants se crampon-
"   naient aux barreaux. Une main au dehors s'agitait
"   comme une feuille dans la tempête. Quand le train
"   a ralenti, des voix ont crié : « Maman ». Et rien n'a

24 JUIN 1942

RATION

" *Notre seul bu*
de rendre la parole
Peuple Français "

FORCES DE RESISTANCE FRANÇAISE

DE GAULLE

E TACHE

BIR-HACKEIN

deuil... Aube lumineuse

orte aujourd'hui notre journal est celui d'un
années d'épreuves ont passé depuis le jour
hypocrites lamentations de son homme de
x de son mauvais coup réussi, l'anti-France
e que voudrait bien lui laisser de la France le
emps, elle s'était vendue.

e souffrances et d'humiliations...deux années
pays d'où, derrière la Marseillaise, la Liberté,
ent élancé à la conquête du monde, a subi,
occupant impitoyable dans sa férocité, mais
es et les expériences de vivisecteurs incapa-

ecueillement et d'espoir. Dans l'épuration de
nce a retrouvé son âme. Il est retourné aux
ert à nouveau le sens profond des mots pour
et ont donné leur existence. Il sait mainte-

Ce n'est qu'un épisode dans la g
Ce n'est qu'un des combats de la bo
de Lybie.
  Pour la France, c'est une résurrec
  Pour la première fois depuis juin
c'est un groupe de combattants fra
retranchés dans un petit fort du c
qui a supporté pendant vingt
(21 mai-9 juin) le choc principal des
mées mécanisées africaines de l'Axe.
tenaient le point extrême sud du sy
de défense allié. Dès le début du c
que ennemie Rommel s'est acharné
Bir-Hackeim avec le maximum de mo
Il comptait enlever sans effort ce poste
le gênait.
  Sous le commandement du ge
Koenig, les légionnaires et chasseurs

Libération (zone sud) évoque l'épisode glorieux de Bir Hakeim.

"
"
"
"

"
"
"
"
"
"
"

répondu que le grincement des essieux. Tu peux dire
ensuite que l'art n'a pas de patrie. Tu peux dire
ensuite que l'artiste doit savoir s'isoler dans sa tour
d'ivoire, faire son métier, rien que son métier.
    Notre métier ? Pour en être digne, il faut dire la
vérité. La vérité est totale ou n'est pas. La vérité :
les étoiles sur les poitrines, l'arrachement des enfants
aux mères, les hommes qu'on fusille chaque jour,
la dégradation méthodique de tout un peuple. La
vérité est interdite. La douceur de l'automne ? Ce
n'est pas la vérité. Elle est un mensonge si tu oses

" en parler en l'isolant de l'*espoir* qui te la laisse encore.
" Pire, elle est un rideau de fumée cachant la vérité,
" masquant le crime, protégeant le criminel ! Elle est
" *complicité.*

Et l'article s'achève en proclamant qu'il faut aux écrivains, pour rester dignes de leur mission, « briser la dalle de silence » et « crier la vérité » :

" La crier à faire éclater le tympan et la boîte cra-
" nienne du bourreau de notre peuple, des bourreaux
" de l'Esprit !
" Car la vérité qui s'empare des peuples devient
" volonté et audace, acier et dynamite, victoire et
" triomphe !

De « La Pensée libre » aux « Lettres françaises »

A dire vrai, l'idée de la création des *Lettres françaises* datait déjà de longtemps. Une revue intitulée *La Pensée libre* avait paru en février 1941, animée par un professeur agrégé, jeune écrivain, qui avait été avant 1939, avec René Blech, l'un des animateurs de la revue *Commune*, Jacques Decour, de son vrai nom Daniel Decourdemanche. Celui-ci s'était alors entouré de Georges Politzer et Jacques Solomon avec lesquels, déjà, il s'était associé pour publier *L'Université libre*, comme nous l'avons vu plus haut. *La Pensée libre* n'avait pu poursuivre sa publication, d'abord parce que la Gestapo avait découvert l'imprimerie où se préparait le nº 2, ensuite parce qu'elle rencontrait

Les lettres françaises

OCTOBRE 1942 — N°2

Crier la vérité!

Est-ce déjà l'automne avec ses asters et ses dahlias, et des feuilles roussies par places, sur les lettres? Est-ce la mélancolie de l'automne sur l'asphalte tiède et les petites voitures des marchandes de quatre saisons pleines de fruits aussi beaux que des fruits de paix et si étonnants d'exister encor.?

Là-bas, là-bas, à l'Est, des millions et des millions d'hommes dans le choc affroyable des tanks, dans le bruit inhumain -qui a dépassé la zone où l'oreille humaine peut encore entendre- se jettent les uns sur les autres, en cet instant.

Une cloche sonne, ici et là. Et plus loin encore, se répondant d'un clocher à l'autre Un pigeon roucoule sur les arbres du jardin. Midi. Qui pourrait parler de la douceur de l'air...

Ici. Ici. Des milliers et des milliers d'hommes sont en prison ou dans les camps. Sais tu qu'ils ont deux louches d'eau de vaisselle à boire par jour pour tout breuvage, et deux cent grammes de pain pour toute nourriture? Et qu'un homme d'un mètre soixante-quinze ne pèse plus tr nte kilogs? Il est mort tout à l'heure.

Un appareil de T.S.F. vaguement joue PRÈS et LOIN ME. J'ai vu passer un train. En tête, un wagon contenait des gendarmes français et des soldats allemands. Puis, venaient des wagons à bestiaux, plombés. Des bras en signes d'enfants se cramponnaient aux barreaux. Un ... train a ralenti, une voix eut crié: "Maman". Et rien n'a répondu que le grincement des essieux. Tu peux dire ensuite que l'art n'a pas de patrie. Tu peux dire ensuite que l'artiste doit savoir s'isoler dans sa tour d'ivoire, faire son métier, rien que son métier.

Notre métier? Pour en être digne, il faut dire la vérité. La vérité est totale ou n'est pas. La vérité: les étoiles sur les poitrines, l'arrachement des enfants aux mères, les hommes qu'on fusille. Chaque jour, l'humiliation méthodique de tout un peuple: la vérité est interdit. La douceur de l'automne? Ce n'est pas la vérité. Elle est un mensonge si tu oses en parler en l'isolant de la vie qui te la laisse encore. Pire, elle est un rideau de fumée cachant la vérité, masquant le crime, protégeant le criminel Elle est complicité.

Or, nous y remet/désormais d'exprimer dans nos livres? Les écrivains allemands ...

Suite page 2.....

D'UN FRONT A L'AUTRE

—Il y a huit jours, HITLER hurla que Stalingrad serait pris. Mais Stalingrad tient toujours. Et le Caspienne est encore loin, et Bakou encore plus loin et les passes du Caucase ne sont pas franchies, Mais le sang allemand coule à flots par difforme ... Miracle? Non. Conséquence d'un peuple qui se bat comme seuls se battent des hommes conscients de défendre mieux que la vie: tout ce qui rend la vie digne d'être vécue. C'est bien pour cela que Stalingrad s'appelle tant Valmy qu'un E.M.F., obsédé par cette idée, tente piteusement de prouver que l'esprit de V. my se trouve du côté des crânes de KRUPP, ROCHLING, GOERING & Cie!

Déjà l'Europe pointe. On est émerveillé devant l'intelligence de la stratégie soviétique qui est passée de la tactique du recul défensif à la bataille d'arrêt au moment précis où l'armée allemande se trouvait ... une ... position stratégique difficile à tenir cet hiver.

C'est ... Cet un ordre du jour de STALINE qui annonce les premiers jours de septembre que la phase des reculs était

Suite page 2...

des difficultés trop grandes, dont certaines, d'ailleurs, tenaient à la position même du parti communiste avant l'entrée en guerre de la Russie soviétique.

Alors, Jacques Decour, assisté de René Blech, avait préparé la sortie d'une feuille qui devait être *Les Lettres françaises*. Jean Paulhan, Pierre de Lescure, François Mauriac, Jean Blanzat, Jean Vaudal, Jacques Debû-Bridel — en ce temps-là fonctionnaire au Ministère de la Marine, ce qui constituait pour la Résistance une excellente source de renseignements — avaient confié des textes ; Claude Bellanger avait donné la traduction d'un poème d'Erich Kaestner : *Si l'Allemagne avait gagné la guerre*[38]. Hélas, Jacques Decour avait été arrêté en février 1942 ; les manuscrits avaient été prudemment détruits ensuite par sa sœur... Le 30 mai, comme otage, Jacques Decour avait été fusillé, en même temps que ses compagnons de lutte Georges Politzer et Jacques Solomon. Dans ces mêmes jours, on lisait dans *Combat :*

"   Les Allemands ont fusillé toute la jeune équipe des
"   collaborateurs du Musée de l'Homme.
"   N° 1 de mai 1942.

C'était, on s'en souvient, l'équipe de la première *Résistance...*

Claude Morgan, ingénieur de formation, devenu romancier, critique littéraire, avait travaillé avec Jacques Decour. Il avait son bureau au Musée du Louvre. C'est lui, avec Édith Thomas, ancienne élève de l'École des Chartes, devenue écrivain elle aussi, qui réussit à renouer les fils et à reconstituer le groupe d'hommes qui allait se former en « Comité national des Écrivains », Jean Guéhenno, le R. P. Maydieu, Charles Vildrac, Paul Eluard, notamment, s'adjoignant bientôt aux fondateurs.

« Représentants de toutes les tendances et de toutes les confessions : gaullistes, communistes, démocrates, catholiques, protestants, nous nous sommes unis pour constituer le Front national des écrivains français... » Ainsi s'exprime le premier manifeste, en septembre 1942.

Et le même n° 1 des *Lettres françaises* contient un « Adieu à Jacques Decour » écrit par Claude Morgan —

qui, précisément, exprime la vraie portée du combat
de la culture contre la barbarie :

    "   Jacques Decour était professeur au Lycée Rollin.
    "   Agrégé d'allemand, il connaissait et aimait la culture
    "   allemande, la vraie, celle de Lessing, de Schiller, de
    "   Goethe, de Heine, de Thomas Mann. Parce qu'il
    "   l'aimait, il ne pouvait la voir foulée aux pieds par
    "   les soudards nazis. Encore moins pouvait-il supporter
    "   de voir sa propre patrie soumise à la terreur policière
    "   et à l'opposition hitlérienne...

Jusqu'en septembre 1943, neuf numéros sortiront ronéo-
tés. A partir d'octobre, ils seront imprimés grâce à Georges
Adam qui avait trouvé les concours voulus dans une
imprimerie de la rue Cardinet. Les derniers, tirés à
15.000 exemplaires, seront imprimés par les soins d'Émilien Amaury et de son « groupe de la rue de Lille » qui,
sur la brèche depuis 1940, en liaison dès janvier 1941
avec d'Estienne d'Orves, lorsque celui-ci vint de Londres
en mission, ne cessèrent d'être l'un des points de rencontre
de toute la Résistance.

Dans les deux zones

A Strasbourg, *L'Alsace* continue sa vaillante bataille.
Elle a pu dans son n° 12, du 5 avril, s'exclamer fièrement :
« Quel honneur ! Dans son journal, *Das Reich*, Goebbels
a cru nécessaire de s'en prendre à notre petit journal. »

A Nancy, paraît, à partir d'août 1942, *Lorraine*,
« organe des groupes de Lorraine de la France
combattante ».

A Villeurbanne où il est installé provisoirement,
Georges Oudard, journaliste et écrivain, au tempérament

observateur, curieux, ardent, commence le 15 octobre la publication de *Cahiers* qui vont bientôt s'appeler *La France intérieure* et qui, paraissant chaque mois, nourris d'articles originaux et de documents « exclusifs » recueillis souvent au prix des plus grands risques, dureront jusqu'au n° 23 du 15 août 1944. Les *Cahiers* de *La France intérieure* seront même diffusés à l'étranger. Le tirage s'effectuera alors à Paris, rue Lhomond, à la ronéo. Ils auront jusqu'à 88 pages, recto-verso, de texte serré. Parmi les collaborateurs : des écrivains, des journalistes comme André Pierre, Roger Giron, Emmanuel Mounier, Pierre Falaize, Suzanne Normand ; des universitaires comme le professeur A. Dupront ; des diplomates comme Albert Kammerer ou Raymond Brugère ; un ingénieur comme André Armengaud.

Des socialistes lancent à Lyon *L'Insurgé*, « organe socialiste de libération prolétarienne. »

A Toulouse, le « mouvement révolutionnaire pour la libération et la reconstruction de la France », publie, depuis le 14 juillet, *Libérer et fédérer.*

Tandis qu'à Paris, le romancier Pierre de Lescure et le dessinateur Jean Bruller ont fondé les *Éditions de Minuit* dont le premier volume *Le Silence de la mer,* signé par Jean Bruller du pseudonyme de « Vercors », a le retentissement que l'on sait[39], en zone non occupée Pierre Seghers, éditeur de *Poésie* 42 à Villeneuve-les-Avignon, publie et fait circuler sous le manteau une réédition de Vercors qu'il a fait imprimer en Suisse, avec le concours de son ami François Lachenal, sous la marque d'un éditeur fictif de Genève : « Les *Éditions A la Porte d'Ivoire,* en inaugurant la présente collection, se placent au service du courage et de la liberté ». Et Louis Aragon, à Lyon et Toulouse, avec quelques amis, forme le noyau de ce qui va se développer sous les deux noms : *Les Étoiles,* un périodique et, la *Bibliothèque française,* une maison d'édition... clandestine naturellement.

L'Art français, de son côté, s'adresse désormais aux « peintres, sculpteurs, graveurs ».

Les moyens utilisés sont très divers, de la typographie élégante et soignée des *Éditions de Minuit* aux stencils contingentés et de qualité médiocre.

Déjà, pourtant, les tirages de certains journaux sont élevés. Les jeunes de *Défense de la France* réussissent à obtenir de leur « Rotaprint » 5.000, 10.000, et même 30.000 exemplaires. *Combat* atteint 10.000 exemplaires. *Franc-Tireur* lance 15.000 exemplaires à chaque parution.

Une nouveauté est inaugurée par *Combat*, c'est un *Combat illustré*, qui s'annonce comme « supplément périodique », mais qui n'aura pas de suite. Sur deux pages : des illustrations, cartes, caricatures... L'effort accompli montre au moins le désir des « clandestins» de ressembler, en dépit des difficultés et des risques courus, à de « vrais journaux ».

Troisième « Résistance »

Il y a eu le journal *Résistance* créé par le Groupe du Musée de l'Homme en 1940 ; il y a eu la continuation des *Petites Ailes de France* sous ce même titre *Résistance*, en 1941 ; voici qu'un troisième périodique arbore ce nom, le 21 octobre 1942...

Résistance, sous ce dernier visage, se présente comme « Le Nouveau Journal de Paris ».

Il a l'ambition, sans nul doute, d'apparaître le plus possible comme un journal sérieux. Il a choisi un format un peu plus grand que celui des autres journaux clan-

COMBAT ILLUSTRÉ

Dans la guerre comme dans la paix, le dernier mot est à ceux qui ne se rendent jamais.

Clemenceau

Timbre spécial pour Strasbourg
Cachet pour la création de l'Administration civile allemande en Alsace

LA KOLLABORATION
« Aux ordures tout le bric-à-brac Français »
(Affiche diffusée largement en Alsace)

LE DÉPÉCEMENT DE NOTRE FRANCE

tel que l'ont prévoient les théoriciens, et tel qu'ils l'ont déjà amorcé.

Annexion :
« Par ce plébiscite volontaire et de caractère unique (sic) l'Alsace s'est proclamée appartenir pour toujours à la nation et au Reich allemands. »
(Discours de V. Lutze, chef des S. A. d'Alsace, le 23 mai 1941 à Strasbourg)

Colonisation :
Les nazis revendiquent le nord de la Loire comme ancien berceau germanique aujourd'hui décadent.
« Pauvre Bourgogne . . .
. . . nous voyons son fier passé germanique qui constitue certainement une part de notre histoire germanique bien à nous.
. . . Et aujourd'hui, en Bourgogne, les Allemands se trouvent de nouveau sur un vieux sol germanique, eux, les soldats du nouvel âge germanique.
. . . Ce qui jadis est tombé en ruines renaît plus grand et plus puissant que jamais et nous aidons à le construire : l'Empire Germanique de Nation Allemande. » (Schwarze Korps, organe officiel des S.S., 27 mars 1941)

Kollaborer, c'est être roulé.

DONNANT, DONNANT.

Hitler : - *Donne-moi la montre, je te donnerai l'heure.*

1ʳᵉ Année · N° 1   21 Octobre 1942

RÉSISTANCE

" Le Nouveau Journal de Paris "

Aujourd'hui la Victoire — Demain la Démocratie.
L'Unité Française dans un Effort Constructif

1ʳᵉ Année - N° 2   14 Novembre 1942

RÉSISTANCE

"Le Nouveau Journal de Paris"

La guerre de libération est commencée

Les cartes sont jouées. Toute la France d'outre-mer est | Dans notre dernière chroni-|cargos et 350 navires de guerre.
libérée du ...

1ʳᵉ Année - N° 3   8 Décembre 1942

RÉSISTANCE

"Le Nouveau Journal de Paris"

UN SEUL COMBAT pour UNE SEULE PATRIE

Les accords Eisenhower-Darlan ne sont, selon les pré- | peuple français, et avec des partis nouveaux, aussi bien
cisions du Président Roosevelt, que des accords purement | dans leurs expressions que dans leurs conceptions. Cet

1ʳᵉ Année - N° 4   23 Décembre 1942

RÉSISTANCE

"Le Nouveau Journal de Paris"

LA FRANCE NOUVELLE

L'Affaire Darlan aura montré la méconnaissance par certains du « problème français ». En réalité, ceux qui vivent à l'étranger et hors de l'oppression allemande ne peuvent soupçonner les transformations profondes qui s'opèrent dans l'esprit des Français. Nous-mêmes, nous ne les percevons qu'imparfaitement, parce que nous subissons toujours les phénomènes vivants avant de les définir.

Le Français d'avant-guerre (pourquoi ne pas le reconnaître?) était bien souvent inconscient, matérialiste, et indigne du destin de sa Patrie. Mais comme la souffrance est parfois l'épreuve salvatrice, l'occupation a libéré le Français de sa torpeur. Un choix s'est imposé impérieusement à lui : la soumission ou la résistance à l'envahisseur. Ce choix, chacun de nous a eu à le faire au plus profond de lui-même

Battu sur tous les Fronts

L'ennemi bat en retraite sur tous les fronts.

En Russie, l'Armée Rouge poursuit les vigoureuses attaques. Sans doute, sur le front central et sur le front de Stalingrad, les Allemands ont réussi à canaliser l'avance russe. Mais ils ne peuvent le faire qu'au prix de contre-attaques extrêmement sanglantes et l'adversaire ne leur laisse pas la possibilité du moindre répit. En dépit de nudes efforts, les Allemands ne sont pas parvenus à dégager leurs troupes encerclées au voisinage de Veline-Loukie et entre le Don et la Volga. Dans notre dernière chronique, nous faisions des réserves sur les possibilités offensives de l'Armée Rouge, mais nous ajoutions que même si tous les plans dressés par le Haut-Commandement Soviétique n'étaient pas réalisés,

rêve pour la réalité. En fait, la majorité des renforts promis ne sont pas parvenus à destination, ce qui prouve la maîtrise navale des Alliés en Méditerranée Orientale. L'a atteint chéri de la victoire, a continué à battre en retraite et il a déjà reculé de plus de 1.600 kilomètres. Où s'arrêtera-t-il ? Ira-t-il jusqu'à Tripoli pour rembarquer les restes de l'Afrika Korps et les porter en Tunisie ? Ce serait certainement un sacrilège. Mais Hitler osera-t-il donner une preuve aussi éclatante de sa faiblesse ? Ou bien Rommel tentera-t-il d'établir un front défensif aux environs de Misurata, l'accès de cette région n'étant possible qu'à travers un espace large de 40 kilomètres et bordé d'un côté par la mer et de l'autre par des marais salants, qui s'étendent sur près de 100 kilomè-

destins. Il est imprimé dès son premier numéro. Il est
tiré à 5.000 exemplaires, pour commencer...

Le petit groupe qui fonde *Résistance* comprend le
docteur Marcel Renet qui appartenait avant la guerre à la
Jeune République, le professeur Maurice Lacroix, bien
connu dans ces mêmes milieux, et un imprimeur de
Montrouge, Jean de Rudder ; Henri Féreol qui vient de
« *Valmy* », Robert Lecourt, avocat à Psris, Charles Serre,
Roger Lardenois, y sont également associés.

L'éditorial est signé Jacques Destrée, pseudonyme
du Dr Renet. Il débute ainsi :

"   Depuis plusieurs mois notre équipe travaille à
"   mettre sur pied *Résistance*. Nous devions le faire
"   paraître en juillet ; cela n'a été possible qu'après la
"   période des vacances. Et voici que, par une coïnci-
"   dence émouvante, *Résistance* publie son premier
"   numéro alors que se fait plus évidente la faillite de la
"   Politique de Collaboration ; que se fait plus éclatant
"   le divorce entre le Pays et le Gouvernement ; que se
"   dresse plus ouvertement l'unanimité de l'opinion
"   française contre l'envahisseur.
"   Exprimer et soutenir cette opinion, préparer les
"   tâches d'aujourd'hui et de demain, transmettre les
"   mots d'ordre nécessaires, et participer ainsi, d'abord
"   à la lutte pour la Victoire, et ensuite à la création
"   d'une véritable Démocratie, telles sont nos ambi-
"   tions et aussi nos raisons d'exister...

Le commentaire militaire, signé Marc Antoine — est
du même auteur.

Autour du journal qui va paraître assez régulièrement,
en dépit des arrestations et de multiples avatars, un
mouvement de résistance se constitue peu à peu. C'est
qu'il y a peu de différence, à l'époque, entre un groupe de
diffusion et un groupe para-militaire. Les mêmes bonnes
volontés sont disponibles pour toutes les tâches. Le
hasard d'une amitié ou d'une rencontre amène la distribution d'un paquet d'exemplaires ; ces numéros sont
répartis de mains en mains ; un noyau se forme, prêt à

l'action ; des contacts s'établissent avec les échelons responsables... Telle est, répétée des centaines de fois, l'histoire de ce temps-là.

Les Alliés en Afrique du Nord

Le 8 novembre 1942, la nouvelle éclate comme un coup de tonnerre : les Alliés ont débarqué en Afrique du Nord. Le 11, les troupes allemandes envahissent la zone Sud. La France métropolitaine est tout entière occupée. Le 17, l'acte constitutionnel « quinquiès » est promulgué qui donne à Laval la suppléance et le dauphinat de Pétain.

Jean Nocher, dans *Espoir*, à Saint-Étienne, écrit :

" « Tirez ! » « Ne tirez pas ! »
" Les Japonais envahissent l'Indochine...
" « Ne tirez pas ! » ordonne le Maréchal.
" — Les Anglais envahissent la Syrie et Madagascar...
" « Tirez ! » ordonne le Maréchal.
" — Les Allemands envahissent la zone libre et la
" Tunisie...

" « Ne tirez pas ! » ordonne le Maréchal.
" — Les Américains envahissent l'Afrique du Nord...
" « Tirez ! » ordonne le Maréchal.
" Ça ne vous suffit pas ? Vous n'êtes pas encore fixés ?
N° 6, novembre 1942.

Combat, dans une édition spéciale datée de novembre, s'en prend aussi à Pétain et se fait plus dur encore :

L'Histoire me jugera
" L'Histoire vous a déjà jugé.
" Le peuple de France vous a déjà condamné.
" PÉTAIN, vous n'êtes plus Maréchal de France.
" Vous avez failli à votre parole. Mieux, vous avez
" vendu la France. Vous avez trahi...

"   ... La France ne vous le pardonne pas...
"   ... Demain, la France tout entière unie contre
" l'envahisseur prendra les armes pour effacer vos
" mensonges, vos lâchetés, votre trahison.
"   La France, elle, sait ce que c'est que l'honneur.
" Elle retrouvera tout son prestige et sa gloire, parce
" qu'elle n'a jamais désespéré.
"   Parce qu'elle a toujours résisté à l'occupant, parce
" qu'elle a foi en son destin.
"   Parce que la France est immortelle...

On voudrait ici reproduire in-extenso le n° 30 du
16 novembre du *Bulletin d'informations générales* du
Bureau de presse de la France Combattante que dirige
Georges Bidault. Quelle extraordinaire réussite !
Sous la rubrique : « Les événements d'Afrique du Nord
vus de Vichy », des informations sont données heure
par heure, avec l'indication des renseignements communiqués aux ministres, leurs réunions, les messages de
Roosevelt, les réactions de certains (au Conseil des
Ministres « deux tendances se manifestent : une tendance
belliciste qui réclame l'ouverture des hostilités immédiate
avec les États-Unis — Platon, Marion, Abel Bonnard — et
une tendance plus réservée... »)
Puis, c'est la reproduction des « consignes » et « notes
d'orientation » données à la « presse de Vichy », et telles
« qu'elles se sont succédé d'heure en heure à partir du
dimanche matin ». Quelques exemples :

"   NOTE D'ORIENTATION DU 8 NOVEMBRE. — A propos
" des événements graves qui viennent de se produire
" en Afrique du Nord, la presse a le devoir d'appuyer
" de toutes ses forces le Gouvernement. Elle doit
" souligner le caractère de haute dignité et de fermeté
" du message adressé par le Maréchal de France,
" chef de l'État, à M. Roosevelt, en réponse au mes-
" sage par lequel celui-ci faisait savoir que les troupes
" américaines attaquaient l'Afrique du Nord.
"   « La France et son honneur sont en jeu, a dit
" le Maréchal, nous sommes attaqués, nous nous

" défendrons : c'est l'ordre que je donne. » On souli-
" gnera, cet ordre a été obéi...
"   CONSIGNES. — 8 NOVEMBRE — 11 h 15 — Les
" textes concernant l'agression de notre Afrique du
" Nord doivent être publiés *obligatoirement en 1re page*
" *sur 5 colonnes en tête.*
"   Le titre sera le suivant : « LES AMÉRICAINS ET LES
" ANGLAIS ATTAQUENT NOTRE AFRIQUE DU NORD.
"   Sous-titre : « LE MARÉCHAL STIGMATISE L'AGRES-
" SION ET DONNE L'ORDRE DE LA RÉSISTANCE. »
"   D'autre part, voici l'ordre de présentation des
" informations déjà distribuées par les agences : 1º *sur*
" *3 têtes de colonne et en caractères gras,* la réponse du
" Maréchal Pétain au Président Roosevelt ; 2º sur une
" colonne, le communiqué du Gouvernement français ;
" 3º sur une colonne, le communiqué du ministère
" de l'Information...
"   *9 novembre* ... L'ensemble des informations concer-
" nant l'agression contre l'Afrique du Nord française
" devra être titré sur toute la largeur de la première
" page... Il est interdit, en outre, de publier des cartes
" géographiques et des photographies...

Le Bureau d'Information et de Presse continue en
soulignant « comment une dépêche Fournier, très favo-
rable à l'Axe, a été falsifiée par Vichy dans un sens encore
plus servile ».

C'est également L'HISTOIRE D'UN FAUX :

"   *Le Progrès de Lyon* a refusé de publier la note
" soi-disant découverte dans les papiers d'un attaché
" militaire américain. Il a préféré ne pas paraître.
" C'est, avec *Paris-Soir*[40] et *Le Figaro* déjà suspendus,
" le troisième journal qui ait cessé de paraître.

Suit une analyse des « premières réactions de la presse
de Paris ».

Vraiment, est-il possible d'être mieux renseigné, **plus**
exactement ? Et l'on imagine les conditions dans lesquelles ce travail peut se faire dans la vie clandestine !

Le « Combat » d'Alger

Dès 1941, le mouvement « Combat » avait étendu son action en Afrique du Nord. C'est le professeur de faculté de droit René Capitant (« Alphonse ») qui avait assumé la responsabilité de l'action gaulliste en A.F.N. Professeur à Strasbourg « replié » à Clermont-Ferrand, il avait volontairement demandé sa mutation à Alger, y ouvrant son premier cours avec ces mots : « La route de Strasbourg passe par Alger. »

René Capitant avait groupé autour de lui deux autres professeurs de droit Alfred Coste-Floret et Henri Viard, ainsi qu'André Fradin, Charles Giron (« Le Sein ») et sa femme Irène, Guy Menant, ancien député démocrate-populaire, Rames, qui avait appartenu au Cabinet d'A. de Monzie et qui était devenu Conservateur des Hypothèques à Blida, Castex (« le Chat »), journaliste à la radio, plus tard Georges Aguesse, alors professeur dans un cours privé, etc.

Une édition spéciale du journal *Combat*, sur son initiative, avait même été réalisée. Multigraphiée, elle en était, en novembre 1942, au n° 37. Des liaisons existaient jusqu'au Maroc. Un petit groupe relié à *Libération* et dirigé par un colonel d'aviation, y rédigeait des tracts. Christian Funck-Brentano, alors bibliothécaire en chef des bibliothèques du Protectorat, envoyait des articles au *Combat* d'Alger.

La participation du mouvement, lors du débarquement allié, avait été active et utile. Pourtant, celui-ci, du fait de l'accord conclu entre les Américains et l'Amiral Darlan, n'avait que médiocrement résolu la situation — rien ne sera plus facile après l'assassinat de Darlan, quelques semaines plus tard, avec son remplacement par le Général Giraud. Pour de Gaulle, en même temps, les difficultés avec les Alliés étaient portées à un point de gravité redoutable. *Combat*, ainsi, dut rester, en fait, dans l'illégalité, à Alger même, jusqu'en février 1943 ! Le n° 46 du 7 janvier 1943, toujours aussi résolument fidèle au Général de Gaulle, y annonce l'arrestation de personnalités algéroises ; Capitant figurait dans la liste... et il a pu échapper aux recherches. *Combat* ne cesse de lutter pour que prenne fin un mauvais jeu nuisible à la France.

"   Nous sommes l'avant-garde de ceux qui combattent
"   pour cette révolution nécessaire, pour la République
"   nouvelle, pour la liberté. Car nous ne voyons pas de
"   meilleure manière de servir la France que de tra-
"   vailler à ce que la volonté du peuple de France se
"   fasse,

écrit *Combat* — Alger — le 14 décembre 1942. Et le 23 décembre :

"   Nos mots d'ordre sont ceux du Général de Gaulle :
"   « Rendre la liberté à la France et aux Français. »

Le 1er juin 1943, c'est à *Combat* et à René Capitant que le Général de Gaulle, arrivant à Alger, réservera une de ses premières visites. Le 1er août, le *Combat* métropolitain portera cette nouvelle en tête de son n° 46.

Toulon

Résistance, dès son deuxième numéro, avait salué la délivrance de l'Afrique du Nord et titré : « La guerre de libération est commencée. »

Mais le n° 3, du 8 décembre 1942, s'élève vigoureusement contre les « accords d'Alger ». Il s'ouvre sur la phrase que le Général de Gaulle vient de prononcer à Londres (le 11 novembre 1942) : « Un seul combat pour une seule Patrie ». Et il s'exprime ainsi :

"   Les accords Eisenhower[41] - Darlan ne sont,
"   selon les précisions du Président Roosevelt, que des
"   accords purement militaires, provisoires et stricte-
"   ment limités à l'Afrique du Nord. Nous reconnaissons
"   que grâce à eux une importante partie de la France
"   africaine s'est ralliée, sans combat, à la cause alliée.
"   Cependant on ne peut qu'approuver la position
"   prise à ce sujet par le Général de Gaulle, car elle
"   est la seule qui soit conforme aux réalités françaises.
"   Reconnaître les accords d'Alger, ce serait avant
"   tout diminuer moralement la Patrie. La France
"   ne saurait à un titre quelconque être la France de
"   la trahison... La France, c'est la France combattante.

Maintenant, c'est le drame de Toulon.

"   La flotte de Toulon, la flotte de la France, vient
"   de disparaître. Au moment où les navires allaient
"   être saisis par l'ennemi, le réflexe national a joué
"   dans les âmes des équipages et des états-majors.

Le Général de Gaulle vient de prononcer ces paroles
à Londres, le 27 novembre.
  Robert Desniaux (André Lafargue) écrit dans *Résistance* du 23 décembre :

"   La déception fut cruelle pour les Allemands qui
"   avaient fait venir en train soigneusement fermé de
"   nombreux marins et des officiers allemands pourvus
"   de lettres de commandement. Les navires français
"   devaient donc être commandés par des officiers
"   allemands...

Parmi les informations données dans le même numéro,
on relève celle-ci : « Laval cède notre flotte marchande
aux Allemands. »
  Dans *Libération* (zone Nord), Jean Texcier avait com-
menté de son côté le sabordage de la flotte, sous le titre :

"   MORT ET TRANSFIGURATION

Une nouvelle conscience morale

" 1942 restera peut-être dans nos mémoires, écrit
" *Combat* (n° 39, janvier 1943), comme l'année la plus
" sombre et la plus dure que nous ayons connue. Elle
" s'est achevée dans les transports d'optimisme qu'ont
" fait naître dans tous les cœurs français les événements
" d'Afrique et le prodigieux sursaut de la Russie. Mais
" songeons aux heures noires du début de l'année
" et aux heures inquiètes de l'été.

Que de méditations, au cours de ces mois amers,
pour les Résistants repliés dans la solitude et dans le
dépouillement qui est le leur !

Le *New York Times*, cité par le *Bulletin d'informations
générales* de Georges Bidault (n° 33 du 24 novembre),
salue les Français qui « se battent et meurent pour
réaliser leur grand rêve : la IVᵉ République ».

Alban Vistel a pu, de son côté, parler de l' « héritage
spirituel de la Résistance[42] ».

A la fin de 1942, le second *Cahier* édité par l'Organisation Civile et Militaire — et, comme chacun des quatre
Cahiers de l'O.C.M., imprimé par les soins du « Groupe
de la rue de Lille » qui en assure même le transport,
la distribution — est consacré précisément à l'immense
problème de l'Éducation Nationale. C'est le groupe
« Maintenir » qui a rédigé cette importante étude. Alfred
Rosier, Claude Bellanger et Georges Jamati en sont les
rédacteurs essentiels ; ils ont fait appel à Georges Lapierre
et René Paty, dirigeants avant la guerre du Syndicat
National des Instituteurs — le second, comme Brossolette rue de la Pompe, est devenu libraire place Saint-
Michel ; tous deux seront arrêtés en 1943 et, déportés,
ne reviendront pas —, à André Graetz, ingénieur chimiste
et, pour certaines parties, à François de Lescure, alors
Secrétaire général de l'Union Nationale des Étudiants,
à l'ingénieur René Sordes ou, pour le chapitre consacré
à la presse (car, dans le projet, le ministère de la Vie

Culturelle a pour domaine, à la fois, « l'éducation et l'expression nationales ») à Jacques Debû-Bridel[43]. Me Jean Kréher, avocat à la Cour, qui est de la fondation de « Maintenir », est directement associé au travail (lui aussi sera arrêté en avril 1944 et déporté).

Ambitieux, noble, ce plan de réforme sera l'objet à Londres, dans les autres mouvements de Résistance, et même à l'Assemblée Consultative, de commentaires, de débats. Il témoigne de la foi des Résistants en l'avenir de la France et du rôle auquel il convient de préparer, sans attendre, ses enfants.

Le *Cahier* s'ouvre d'ailleurs sur une chronique de Claude Bellanger dont le titre, déjà, exprime le sens : « Pour une nouvelle conscience morale[44] ». Une phrase d'André Malraux, dans *l'Espoir*, est comme la clé de la méditation : « Pourtant, dit Scali, avant longtemps il faudra de nouveau enseigner aux hommes à vivre. »

1943
LA FRANCE QUI SE BÂTIT
DANS L'ÉPREUVE...

Stalingrad

Le Français, décidément, a la tête dure. « Tu ne veux pas reconnaître ton mal ? Alors, tu ne guériras jamais ! » lui répète pourtant *Je suis partout* qui prophétise : « Malheur aux peuples qui ne veulent pas reconnaître leurs défaites ! » (26 février 1943). Et *Révolution nationale*, lui aussi « hebdomadaire politique et littéraire », précise : « ... C'est bel et bien le germanisme qui dresse le rempart sur lequel vient se briser le furieux assaut du slavisme bolchevisé. Ainsi va l'histoire qui confie, aux uns et aux autres, des rôles selon leur mérite. L'Allemagne a donné à l'Europe, pour la sauver, une nation, un chef ; elle lui a donné une mystique pour vaincre la Révolution du nihilisme. » (13 février 1943).

Mais non, le Français se réjouit d'apprendre que von Paulus, encerclé dans Stalingrad depuis le 23 novembre, a dû capituler le 2 février.

Ainsi *L'Humanité* salue-t-elle, dans son n° 202 du 5 février 1943, la « grande victoire soviétique à Stalingrad ». « Vive Staline ! Vive l'Armée Rouge ! » s'écrie-t-elle.

Il est vrai qu'elle ajoute cette critique à l'adresse des anglo-américains :

" ... Tous les Français savent que les effectifs
" hitlériens ont considérablement diminué en France
" et tous se demandent pourquoi les alliés ne constituent
" pas le 2e front en Europe, ce qui amènerait l'effon-
" drement rapide de l'hitlérisme. De toute façon,
" pour nous Français, l'affaiblissement de l'ennemi
" nous fixe comme devoir de renforcer notre action
" contre lui et de développer massivement et rapidement
" le mouvement des Francs-Tireurs et Partisans.

Le « deuxième front », on le sait maintenant, viendra à son heure qui ne peut être proche.

Contre le S.T.O.

Laval, à Vichy, multiplie les actes de collaboration. La « Milice » est créée en janvier ; Darnand en est le Secrétaire général avant d'être, quelques mois plus tard, Secrétaire d'État au maintien de l'ordre. La Légion des Volontaires français — qui combat sous uniforme allemand — est « reconnue d'utilité publique », en février. Et voilà que le Service du Travail Obligatoire va s'étendre à tous les Français.

Cette extension du S.T.O. n'aura pas tout l'effet

réu
jan

Lib
d'c

éc
sa

nie
aff
av
p'
sie
qu
la
es
re
Gi
G
R.

V

partout à l'attaque; l'Europe nazie est pilon-
née par les avions alliés, l'Italie est au bord
de l'invasion, les peuples sous le joug atten-
dent le signal, l'ennemi est partout pris à re-
vers et saboté dans ses œuvres vives.

Moins éloigné que ne pensent les scepti-

ALERTE !

En dernière heure, nous venons d'avoir connaissance des derniers accords Hitler-Laval.

Il ressort d'une note officielle transmise aux préfets le 7 mai, **que tous les Français** (sauf quelques catégories) **nés entre 1893 et 1923 sont susceptibles d'être mobilisés pour le travail obligatoire en Allemagne,** leur départ devant avoir lieu par fractions.

C'est toute la France qu'on veut déporter !

Français, attention ! Ne vous laissez pas faire ! Résistez par tous les moyens !

UNE SEULE LUTTE : POUR LA LI
UN SEUL CH

escompté par ses promoteurs ; elle va même amener à la Résistance bien des éléments nouveaux.

C'est qu'il ne s'agit de rien d'autre que de « la déportation des travailleurs français » comme l'indique, par exemple, *Combat* (n° 41 de février 1943) :

" Laval et Bichelonne auraient accepté de livrer
" aux Allemands d'ici le 31 mars 250.000 ouvriers
" dans la métallurgie seulement, dont 150.000 spécia-
" listes. Les ouvriers seront désignés directement
" par les Allemands sans tenir compte de leur situation
" de famille. Leurs départs ne compteront plus pour
" la relève.

Et ce commentaire est explicite :

" ... Comme la Pologne, la Tchécoslovaquie ou la
" Hollande, la France entre dans « le circuit de la
" guerre totale ». Hitler entend la vider petit à petit
" de toute la substance de tous ceux et celles qui ont
" fait sa force et sa richesse. Devant ce péril mortel
" une seule réplique : LA RÉSISTANCE, LA RÉSISTANCE
" A TOUT PRIX... On ne se laisse pas étrangler sans se
" battre... Après la première flambée de colère, beau-
" coup de Français sont retombés dans l'indifférence
" ou l'accablement. Ils assistent aux départs sans
" révolte et ne réagissent plus. C'est sur leur accou-
" tumance, leur résignation à l'oppression que compte
" le Reich. *Français, ne faites pas le jeu de Hitler. Vous
" attendez la victoire ; il faut la mériter.* Ne ralentissez
" pas votre effort. Pas un homme, pas un convoi ne
" doit partir sans que tout ait été fait pour empêcher
" ou retarder son départ.

Jean Texcier — sous la signature de Serge-Boze — dans *Libération* (zone Nord) du 9 mars, décrit :

" LES CHASSEURS D'HOMMES
" En attendant la mobilisation totale des Français
" au service de l'Allemagne, nous en sommes au rapt
" organisé. On fauche aujourd'hui des Français comme

"   on s'offrait des esclaves au temps de l'Oncle Tom.
"   On cueille les hommes au détour d'une rue, à la sortie
"   du cinéma. Le cordonnier est enlevé de son échoppe,
"   le bistrot arraché à son comptoir, la modiste est
"   cueillie dans sa boutique, la femme de ménage est
"   appréhendée dans sa cuisine, l'étudiant sur le seuil
"   de la Faculté. On rafle sur le boulevard, on empoigne
"   à domicile. On empile ces « spécialistes » dans des
"   cars comme du bétail de correctionnelle, on les
"   parque dans une cour de caserne, on leur fait « passer

Départ pour le Service
du Travail obligatoire en
Allemagne.

"   la visite » comme à des filles publiques, et on les
"   expédie en vrac en Allemagne.
"   Blême, M. Laval mâchonne sa cigarette et se borne
"   à répéter que, s'il n'était pas là pour défendre ses
"   compatriotes, ce serait bien pire. Quant à M. Pétain,
"   qui a tant célébré les vertus de la famille, il n'ouvre
"   point la bouche et contemple de son œil clair les
"   sombres fruits de la collaboration...

Vers les Maquis

Ce qu'il faut maintenant, c'est que « chaque Français...
chaque Française se considère de plus en plus et selon
ses moyens comme *auxiliaire* des forces de la Liberté,
des organisations clandestines de lutte contre l'ennemi
et contre Vichy », écrit *Le Franc-Tireur* qui déplore
qu' « une masse encore trop grande de Français reste
comme inerte et passive devant tout ce qui se passe,
comme étrangère à son propre destin forgé par la France
Combattante et Résistante ».

Le titre de l'article est d'ailleurs un appel direct :
« Et vous, que faites-vous pour votre délivrance ? »
Et *Le Franc-Tireur* d'ajouter : « Savez-vous que chaque
ville de France est maintenant noyautée, sapée par les
organisations unies de la Résistance ? » (En zone Sud,
Combat, Libération et *Franc-Tireur* viennent de constituer
ensemble les Mouvements Unis de Résistance).

Le même son de cloche se retrouve en zone Nord.
Citons ainsi *Libération* (Édition Z.N.) qui se présente
comme un « groupement de résistance, avec ses cadres,
ses groupes d'action, ses équipes de saboteurs » :

"   LE DOUBLE COMBAT
"   *Libération,* nos lecteurs le savent, n'est pas seu-
"   lement un journal, mais aussi et surtout une organi-
"   sation de résistance et de combat ayant des ramifi-
"   cations dans la France entière. Le journal, qui s'atta-
"   che à traduire fidèlement l'esprit du mouvement,

"   n'est qu'un des nombreux signes de reconnaissance
"   et le seul qui puisse sans dommages se tromper
"   d'adresse. Pour les liaisons nécessaires à l'action
"   et pour les consignes particulières ou devine que
"   d'autres méthodes sont employées...

N° 121, 23 mars.

De fait, depuis les temps héroïques de décembre 1940, « Libération » est devenu l'un des grands mouvements de Résistance en zone occupée. Jean Texcier depuis longtemps assume la charge du journal, tandis qu'Henri Ribière, le chef du mouvement, est entouré de syndicalistes comme Pierre Neumeyer, Charles Laurent, Gaston Tessier, de la C.F.T.C. (il était dans le petit groupe d'*Arc* dès 1940), Louis Saillant, Robert Lacoste, Paul Verneyras. Maurice Harmel — qui vient de l'organe de la C.G.T. *Le Peuple* — est du nombre ; il signe Jean Fournès ; il participera, par ailleurs à partir d'août 1943, et jusqu'à sa déportation, à la publication de *La Résistance ouvrière*, « organe ouvrier de la France combattante » qui, avec Robert Bothereau, Albert Gazier et Louis Saillant, et imprimée par Auguste Largentier sur une vieille « Minerve » des cours professionnels de la Chambre syndicale typographique, boulevard Auguste Blanqui, aura 7 numéros. *Libération* continue de compter également un collaborateur à la signature militaire : « Capitaine Brécourt » ; c'est, après avoir été, à l'origine, l'un de ceux qu'utilisait Christian Pineau, le pseudonyme du docteur Yves Porc'her, ami de Jean Texcier.

Maintenant, des « maquis » se constituent.
Le Franc-Tireur, dans le numéro cité plus haut, écrit à propos de « la lutte contre la déportation » qui déjà s'étend :

"   ... Les jeunes s'évadent dans la montagne et
"   s'organisent en camps situés dans les Alpes, le Jura,
"   les Pyrénées, les Cévennes, le Massif Central. Suivant
"   les régions, ils sont plusieurs centaines et parfois
"   plusieurs milliers dispersés en divers groupes. Toute
"   la population est avec eux et coopère au ravitaillement.

1943. La France qui se bâtit dans l'épreuve

Le Populaire de zone Sud (n° 10) pour qui « le mois de mars 1943 aura vu la France toucher le fond de la honte », exhorte « le peuple de France tout entier » à « mener la lutte » :

" ... La victoire s'organise, elle marque des points.
" Les actes de guerre se multiplient, les trains sautent
" (150 Allemands tués dans l'attaque menée près de
" Macon seulement). Les bombes éclatent. Des milliers et
" des milliers de jeunes Français ont quitté famille
" et travail, se sont cachés pour échapper aux travaux
" forcés, pour refuser d'aider leurs bourreaux et leurs
" oppresseurs. Toute la France a suivi l'héroïque
" épisode des 5.000 réfractaires de Haute-Savoie. Leur
" geste n'a pas été stérile. Les uns ont regagné leur
" domicile avec la promesse d'être épargnés ; à la
" première alerte, ils rejoindront les autres qui, sur les
" hauts plateaux, s'organisent et attendent l'heure
" du lancement d'un nouvel appel. Partout il y a de
" ces déserteurs de la relève qui seront les premiers
" soldats de la prochaine bataille. Il faut être, tous,
" sans réserve, à leurs côtés.
" Paysans ! Accueillez-les, ravitaillez-les, cachez-les !
" Fonctionnaires ! Volez, détruisez les pièces de recen-
" sement, multipliez les erreurs. Policiers ! Sabotez les
" recherches. Médecins ! Découvrez des « inaptes ».
" Que chacun autour de lui fasse tout ce qu'il peut,
" et nous gagnerons la partie...

LE GÉNÉRAL DE GAULLE

ORGANE DES ... OU CO.. FORCES DE RÉSISTANCE FRANÇAISE
L'ESPOIR RENAIT.
NOTRE SEUL BUT EST DE RENDRE LA PAROLE AU PEUPLE FRANÇAIS. DE GAULLE.

Bir-HAKEIM

JOURNAL RÉPUBLICAIN MENSUEL
*paraissant malgré la Gestapo, malgré le
négrier-gauleiter Lacal et le gouvernement de Vichy*

Rédaction, Administration, Imprimerie :
QUELQUE PART EN FRANCE!

HONNEUR et PATRIE
VOICI A L'AUBE DE LA IVe RÉPUBLIQUE,
LE PREMIER ORGANE DE PRESSE DU COMITÉ FRANÇAIS DE LA
LIBÉRATION NATIONALE

LE GÉNÉRAL GIRAUD

LETTRE OUVERTE

VERS LE SALUT DU PAYS

JUIN 1940 : CAPITULATION.
JUIN 1943 : ESPÉRANCE.

Ma femme chérie,
...'écris d'un petit village de France et après les accords des généraux de GAULLE-...UD. Te souviens-tu, lorsque je t'écrivais, il y a quelques mois de ma cellule — peu ...mps avant mon évasion — que tu ne devais pas être malheureuse parce que j'étais ...onfiant. Plus que jamais je comprends la basse laideur de la trahison, cette trame ...aine de l'existence et ton admirable attitude d'alors, donnait ainsi au nom de la

LA VÉRITÉ SUR PÉTAIN

*Aujourd'hui encore, certains disent : « Ne critiquez
pas Vichy, Pétain fait de son mieux. » La réponse
à cette réflexion est donnée dans un article publié
dans The Quarterly Review, en des termes si
pertinents qu'elle nous a paru mériter la plus
large publicité.*

Chaque pays, dit-on, a le gouvernement qu'il mérite. Une confirmation de cet aphorisme doit être trouvée dans les efforts désespérés souvent faits par des gouvernements indignes pour apparaître différents de ce qu'ils sont. S'ils devaient se montrer ... rent à détacher du président du Conseil la majorité de ses collaborateurs, obligeant ainsi M. Paul Reynaud à démissionner.

Responsabilité de la faiblesse

De Gaulle et Giraud

Bir-Hakeim

Sous ce titre : « Bir-Hakeim » un journal nouveau porte la date de mars 1943. Sa manchette s'orne fièrement d'un portrait du Général de Gaulle (le Général Giraud lui fera ensuite, provisoirement, pendant !). Et il rappelle *Le Franc-Tireur* lorsqu'il précise : « Journal républicain mensuel paraissant malgré la Gestapo, malgré le négrier Laval et son gouvernement de Vichy. » Le format est quasiment celui de la presse suisse. Et des photos figurent à chaque page.

Le fondateur de *Bir Hakeim* est André Jacquelin. Il s'est associé à Gabriel Jeanjacquot — qui sera un des premiers organisateurs des maquis de l'Ain — et à Paul Pioda — qui mourra en déportation à Dachau. L'imprimerie qui se met à leur service est située à Bourg ; c'est l' « Imprimerie Républicaine » dirigée par M. Michallet. Un vieux typographe, M. Bourru, compose le journal à la main ; quinze jours sont nécessaires pour un seul numéro. Cette même imprimerie sera utilisée aussi un moment par *Libération* (zone Sud). Le papier (de qualité !) est fourni spécialement par l'administrateur des Papeteries Johannot, à Annonay (Ardèche). Un numéro, sur six pages, contenant un reportage d'André Jacquelin sur les maquis de Granges et de Chongeat (Ain) que commande le Colonel Romans, sera même tiré en pleine zone interdite, à Morez (Jura). Jusqu'en juin 1944, douze numéros vont être ainsi édités et diffusés.

Le destin de *Bir Hakeim* n'est cependant pas ordinaire. Cité par les radios de Londres, Brazzaville et Alger, ainsi que par la presse neutre, attaqué nommément par la presse et la radio de Vichy et de Paris, il doit être bientôt « dénoncé » par plusieurs de ses confrères résistants et considéré comme suspect[45].

D'une part, la présentation du journal fait penser à beaucoup qu'il est imprimé en Suisse — et, de là, à imaginer qu'il n'est pas libre, il n'y a qu'un pas. D'autre part, *Bir Hakeim* qui, dès son premier numéro, a jeté l'anathème sur les journaux de la collaboration « que nous vous prions de ne plus lire », a publié à partir de son n° 5 — annoncées dès le n° 3 de juin-juillet 1943 — des « listes noires » suivies de jugements... sommaires. Chaque nom y est accompagné de la mention : « Condamné à mort » ou « Arrestation et jugement immédiats ».

On devine l'émotion provoquée par ces publications spectaculaires. *Combat* (n° 53) prendra position :

> Le journal *Bir Hakeim* a publié dans ses derniers
> numéros des listes de soi-disant traîtres et même
> des condamnations. On y trouve pêle-mêle, dans ses
> colonnes, les accusations les plus fantaisistes et quel-
> ques précisions sur de véritables ennemis de la

"   France... Provocation ou inconscience ? Nous l'igno-
"   rons. Quoi qu'il en soit nous mettons en garde les
"   militants de la Résistance contre ce journal... Les
"   accusations et condamnations qu'il publie ne sont
"   en aucune façon sanctionnées par la Résistance.

Plus tard, le 4 mars 1944, un « avertissement au peuple français » contre *Bir Hakeim* sera même lancé au micro de la France Combattante.

Bir Hakeim répond à *Combat* dans son numéro de janvier 1944 et « à la B.B.C. » dans son numéro de février-mars.

Pourtant, la polémique ne cesse pas. Une mise au point du Conseil National de la Résistance dégagera « la responsabilité de la Résistance organisée dans les mots d'ordre et les informations de ce journal ». *Front National* le stigmatisera « comme organe de l'ennemi » (30 mars 1944). Pour *Les Lettres françaises* il s'agit d'une « feuille provocatrice » (avril 1944). « Attention à la feuille Bir Hakeim » et aux « campagnes imbéciles et provocatrices de cette officine qui fait une œuvre de division et de confusion », écrira *Le Franc-Tireur* du 30 mai.

De Gaulle - Giraud

Un problème de conscience se pose, dans les premiers mois de 1943, à l'ensemble de la presse clandestine. Le 14 janvier, à Casablanca, Roosevelt et Churchill ont, pour la première fois, mis en présence le Général de Gaulle et le Général Giraud. Ils n'ont d'autre désir que de réserver leurs faveurs à ce dernier. Mais le Général de Gaulle est, depuis le premier jour, l'âme de la Résistance nationale. Peut-il n'en pas être le chef ?

Résistance, en zone Nord, n'en doute pas. Il rend hommage, dans son numéro du 2 mars 1943, « à ceux qui se sont faits les guides clairvoyants et courageux d'un peuple abandonné » :

"   ... En premier lieu, au Général de Gaulle, dont
"   on ne dira jamais assez les immenses services rendus
"   à la Patrie et qui doit devenir le Chef du premier
"   Gouvernement libre, à ses collaborateurs du Comité
"   National Français, aux chefs militaires de la France
"   Combattante. En second lieu, au Général Giraud,
"   en qui nous voyons le futur généralissime, dont
"   l'incontestable valeur militaire et l'ardent patrio-
"   tisme contribuent sans aucun doute à la victoire
"   finale. Enfin, aux chefs de la résistance intérieure,
"   que l'on ne peut nommer aujourd'hui.

La page quatre est tout entière consacrée à un « Hommage au Général de Gaulle ».

Libération, en zone Sud, titre, en page intérieure,
la chronologie des événements depuis juin 1940 : « Pourquoi nous sommes gaullistes. »

Et voici, dans le même sens, le n° 43 de *Combat*, du
15 avril 1943. Fait vraiment extraordinaire, Henri
Frenay signe l'éditorial de son nom ! Il a été attaqué,
critiqué par certains de ses camarades de Résistance
et il n'entend pas qu'on doute de lui. Il a beau être
recherché par la Gestapo et la Milice : il se découvre
totalement[46]. L'occasion en vaut la peine, du reste ;
il s'agit de savoir qui représentera la souveraineté française. Et il répond : « Le peuple a choisi. » Sans doute,

"   le peuple français rend hommage au courage du
"   Général Giraud, et a confiance dans ses vertus mili-
"   taires. Il est prêt à lui confier la direction de ses
"   armées. Il estime en revanche que ses erreurs et ses
"   variations politiques ne peuvent le désigner pour
"   défendre l'ensemble des intérêts français et repré-
"   senter les aspirations nationales...
"   Le Général de Gaulle, au contraire, n'a jamais
"   varié. Son appel du 18 juin 1940, alors que tout
"   semblait perdu, fut la lumière dans les ténèbres,
"   un cri de foi et d'espoir, un appel prophétique qui
"   marque le début de la résurrection française...
"   ... Il parlait le langage de la France.
"   Tous les hommes qui depuis l'origine résistent

Un seul chef : DE GAULLE

Un seul combat : pour NOS LIBERTÉS

z le dernier
. Clemenceau.

ÉSISTANCE UNIS

TANCE
OTALE

1s les moyens, là où vous êtes,
ez lutter avec nous. Vous de-
dire que tout acte contre l'oc-
te la Victoire.

e retard apporté aux communi-
nnemies est un début de para-
frappe la Pieuvre.

e fois qu'un véhicule ennemi
iit ou endommagé, c'est une
'échapper au châtiment qui est
1 Boche.

e perturbation dans les services
s est un gain pour les Alliés.
'heure est venue de passer à la
ce totale.

us laissez endormir ni par les
de ceux qui défaillent de peur,
s comitards politiciens qui, au-
i comme hier, veulent tout cas-
l'assiette au beurre.

re de l'action totale de la Résis-
ale a enfin sonné. Aidez-nous.
la brèche !

Combat accueille
LE GÉNÉRAL DE GAULLE

C'est à "COMBAT" que le Général de GAULLE, à son arrivée à Alger a réservé une de ses premières
visites.

Le 1ᵉʳ juin, nos camarades d'Afrique
du Nord groupés au Centre d'Accueil
de Combat reçurent le Général de Gaulle
et lui furent présentés par son chef René
Capitan :

" Vous avez, mon Général, dit-il, à
votre droite les soldats de Leclerc et de
Larminat, les combattants de Fondouk
et de Pichon, à votre gauche les cadres
de " Combat " civils qui depuis 3 ans
luttent ici contre l'oppression ".

DE GAULLE répondit par quelques
mots rappelant que la vérité et le devoir
de chacun sont dans la Resistance.

Puis les assistants entonnèrent la Marseillaise tandis que la foule manifestait
aux cris de " Vive de Gaulle ! ".

L'action de Combat en Afrique du
Nord a trouvé son couronnement
dans la Libération. Bientôt, nous
aussi, nous verrons la Victoire ré-
compenser nos peines et nos sacrifices. Et comme René Capitan qui,
quelques jours à peine avant le dé
barquement allié, était venu nous
parler de sa lutte et de ses espoirs,
nous accueillerons le CHEF qui n'a
jamais capitulé.

çais !

NEZ LA BATAILLE DE LA PROPAGANDE !

) des batailles victorieuses, aux
: la France résonne dans tous les

abrègent vos souffrances en hâtant leur défaite.

Et tant d'autres bobards !

"   à l'Allemand et à la dictature l'ont choisi comme
"   Chef et symbole de leurs aspirations. Il est depuis
"   longtemps mandaté par le peuple français pour parler
"   en son nom.
"   Voilà ce que doivent savoir ceux qui demain
"   négocieront à Alger. Voilà ce que nos Alliés ne doivent
"   pas perdre de vue. Entre de Gaulle et Giraud, le peu-
"   ple a choisi de Gaulle.
"   Telle est sa volonté.

La manchette de *Combat* affirme désormais : « Un seul
chef : de Gaulle. Un seul combat : Pour nos libertés. »
Défense de la France n'est pas moins net. Indomitus
(Philippe Viannay), le 20 avril, ne veut pas que certains
Français puissent plus longtemps « abuser l'Amérique
sur la vraie France ».

En zone Nord, encore, *Libération*, du 20 avril, n'imagine pas que le « gouvernement provisoire » puisse être
présidé par un autre que le Général de Gaulle — et
ce « sera à la fois un Gouvernement de Défense Nationale
et un Gouvernement de Défense Républicaine ».

"   ... C'est pourquoi, en attendant la constitution
"   d'une IVᵉ République, elle a confié ses destinées
"   aux deux hommes qui ont su tout refuser, à de Gaulle,
"   qu'elle veut comme chef du gouvernement, à Giraud
"   ensuite pour commander l'Armée. Ce choix de la
"   Résistance Française est impératif. IL IMPORTE QUE
"   LE MONDE SACHE QUE DE GAULLE PÈSE DEVANT
"   LUI DE TOUT LE POIDS DE LA FRANCE.

Ce sentiment, comment le traduire mieux que *Le
Franc-Tireur*, un peu plus tard ? Sous les titres : « Ni
conflit, ni choix . Nous sommes « gaullistes » comme tout
un peuple », on croit bien reconnaître la plume mor-
dante et le don des formules d'Albert Bayet :

"   ... De Gaulle, c'est l'homme qui, à l'heure où
"   Pétain vendait la Patrie contre un titre et la Répu-
"   blique contre un pourboire, vengeait l'honneur de la
"   France en dénonçant la trahison et en continuant
"   la lutte.

"   Giraud, c'est la dupe, brave mais aveugle, qui, à
" Vichy, se laissait prendre aux boniments de Laval
" et lui jurait fidélité ; qui, à Alger, criait « Vive Pétain !»
" sans se rendre compte qu'il criait : « Vive Bazaine ! »,
" qui emboîtait le pas aux Peyrouton, aux Darlan,
" sans songer qu'il s'acoquinait avec les gens les plus
" haïs de France.
"   Entre l'homme qui, dès 1940, criait « France ! »
" et l'homme qui, en 1942, balbutiait « Vichy ! »,
" peut-il être question de choisir ?
"   Giraud, c'est l'erreur qu'on excuse : de Gaulle,
" c'est la foi qu'on salue.

15 juillet.

Si, au début de juin, le Comité français de la Libération Nationale a dû se constituer à Alger sous la double présidence de Gaulle-Giraud, dès septembre Giraud ne figure plus au C.F.L.N. que comme Commandant en Chef, et il donnera sa démission du C.F.L.N. en novembre. Pour la Résistance intérieure, cette évolution ne pouvait pas ne pas se produire ; son achèvement est sa victoire.

Le Conseil National de la Résistance

Les Mouvements Unis de Résistance (M.U.R.), on l'a vu, se sont constitués en zone Sud, et leur Comité directeur s'installera à Paris à partir du mois d'août représentant, ensemble : *Combat, Franc-Tireur* et *Libération* (sud). Les journaux de chacun des trois mouvements citent désormais les deux autres, dans chaque numéro, comme « autres organes des M.U.R. »

Ailleurs, l'union n'est pas faite encore. Revenu à Londres en février et repartant en mars pour une nouvelle mission en France occupée, en zone Nord cette fois, Jean Moulin a reçu mission de s'y employer à la création d'un « Comité de coordination des mouvements de résistance ».

Pierre Brossolette parle
à l'Albert Hall, à
Londres, le 18 juin 1943

Sa mission comporte aussi la création d'un Conseil National de la Résistance qui s'étendrait aux deux zones.

Un problème se pose cependant quant à la conception même de l'organisme à constituer. Puisqu'il doit être conçu comme le premier élément représentatif de la nation auprès du Général de Gaulle, les partis politiques ne doivent-ils pas y figurer auprès des mouvements nés de la lutte contre l'occupant ?

Christian Pineau et Cavaillès, de *Libération*, et Jacques-Henri Simon, de l'O.C.M., sont alors à Londres. Le premier se déclare en faveur de la présence des partis ;

les deux autres sont hostiles. Henri Frenay avait déjà fait savoir son hostilité. Pierre Brossolette, reparti en France dès le 27 janvier, de même... *Défense de la France* vient d'écrire que « les anciens partis ne répondent plus à rien » (Robert Tenaille, 5 février 1943).

Mais, outre le parti communiste — qui a envoyé Grenier à Londres au début de l'année pour marquer son adhésion au gaullisme —, le parti socialiste entend bien participer. Reconstitué d'abord en zone Nord et s'exprimant par *Socialisme et Liberté*, puis en zone Sud, avec *Le Populaire*, l'organe de zone Nord, à son tour, a placé en tête de son n° 16, du 16 janvier-1er février 1943, le titre symbolique : *Le Populaire*. Ce numéro a publié le programme sur lequel doivent se « regrouper tous les socialistes opposés aussi bien à la collaboration qu'à l'attentisme, et résolus à la lutte pour l'indépendance nationale. » *Le Populaire* de zone Sud, appelant de ses vœux, dans son n° 10 de mars 1943, « l'unité de la Résistance », souhaite, lui, très directement, qu'un organisme groupe « tous les mouvements et tous les Partis politiques. »

En définitive, le Général de Gaulle tranche : Ce Conseil de la Résistance « assurera la représentation des groupements de la Résistance, des formations politiques résistantes et des syndicats ouvriers résistants. »

Libération (Édition Z.N.) est pleinement d'accord et déclare le 20 avril :

" Si la question des rapports entre les Mouvements
" de Résistance et les Partis peut se poser, c'est que
" ces Mouvements, formations neuves et occasionnelles
" de la vie nationale française, ont sans préméditation,
" mais sous l'impulsion des événements eux-mêmes,
" pris une position politique. Ils ont vite compris en
" effet que la lutte contre l'envahisseur devait se
" doubler d'un combat contre l'ennemi de l'intérieur
" complice politique de l'Allemagne hitlérienne.
" Toutefois, la question ne peut se poser qu'à l'occa-
" sion de l'étude des formes du régime intermédiaire
" à instaurer durant cette période — dont personne ne
" peut prévoir la durée — qui s'inscrira entre le moment

"   où se précisera la libération du territoire et celui où
"   la Nation, totalement délivrée de l'envahisseur,
"   pourra être régulièrement consultée. Alors seulement
"   les Mouvements de Résistance pourront considérer
"   leur tâche comme terminée et leurs militants, rede-
"   venus citoyens d'un pays libre, rejoindront le parti
"   politique de leur choix. Nous ne sommes pas en effet
"   de ceux qui pensent que l'unité française puisse jamais
"   s'exprimer par la création d'un parti unique, fut-il
"   apolitique, ce qui d'ailleurs n'aurait aucun sens. La
"   France de demain ne sera pas totalitaire. Elle sera
"   républicaine et démocratique suivant ses traditions
"   propres. Or la démocratie suppose la diversité et
"   celle-ci se manifeste tout naturellement par l'existence
"   des Partis. Les mouvements de résistance, malgré
"   leurs physionomies particulières, ne sauraient se
"   substituer à eux, d'abord parce qu'ils sont plus des
"   créations spontanées que des groupements de doctrines
"   ou d'affinités, ensuite parce que la pratique de la
"   Résistance, pas plus d'ailleurs que la pratique de la
"   guerre, ne confère aux individus des vertus politiques
"   particulières.
"   Et cependant nous considérons qu'il est juste et
"   normal que ces Mouvements soient appelés à figurer
"   en premier dans les conseils du Gouvernement
"   provisoire.

En conclusion :

"   ... Le Gouvernement provisoire... devra s'appuyer
"   tout de suite sur ces forces, qu'il connaît pour les
"   avoir déjà éprouvées ; c'est-à-dire sur les mouvements
"   de résistance, sur les grandes organisations de la
"   classe ouvrière fidèles à leurs origines, et sur ceux des
"   Partis actuellement regroupés sur le plan de la Résis-
"   tance. Ainsi se rejoindront pour la bataille commune
"   les nouvelles formations françaises nées spontanément
"   du désastre et organisées pour la victoire et les vieux
"   partis désorganisés par la défaite mais purifiés par la
"   Résistance.

C'est le 27 mai 1943, au 48 de la rue du Four, que se tient, « sous l'oppression allemande », comme le rappelle la plaque apposée depuis sur l'immeuble, « la première réunion clandestine du Conseil National de la Résistance, sous la présidence de Jean Moulin, délégué par le Général de Gaulle. »

Il comprend seize membres : les représentants de cinq grands mouvements de zone Nord — « O.C.M. », « Libération-Nord », « Front National », « Ceux de la Libération », « Ceux de la Résistance » ; les représentants des trois mouvements de zone Sud — « Libération », « Combat », « Franc-Tireur » ; les partis — communiste, socialiste, radical socialiste, démocrate populaire, Alliance démocratique, Fédération républicaine ; les deux organisations syndicales — C.G.T. et C.F.T.C.

En ce qui concerne les mouvements, on remarque que deux seulement, sur huit, ne se sont pas expressément fait connaître par un journal clandestin. « Ceux de la Libération » crée le sien, justement, en ce mois de mai 1943, grâce à Raoul Peigné ; il se transformera, en juin 1944, pour devenir *La France libre*. « Ceux de la Résistance » n'auront qu'un *Bulletin* intérieur destiné à leurs cadres régionaux.

Jean Moulin arrêté, le 21 juin, à Caluire, c'est, dans l'été, Georges Bidault que le Conseil National de la Résistance porte à sa tête. Après bien des difficultés, la charge de délégué général du C.F.L.N. (Comité français de la libération nationale) qui était celle de Jean Moulin sera confiée — au début de 1944 seulement — à Alexandre Parodi, dit « Quartus » ou « Cérat ».

« Les Cahiers politiques »

Alexandre Parodi était, depuis sa création, l'un des membres du « Comité général d'Études » (C.G.E.). Celui-ci, de Lyon, s'est, en avril 1943, transporté à Paris. Il publie dès lors une revue intitulée *Les Cahiers politiques*, d'abord imprimée à Lyon, chez Eugène Pons — *Témoignage chrétien*, *Franc-Tireur*, nous l'avons dit, ont fait appel à lui déjà —, puis, à Paris même, par les soins d'Émilien Amaury et du « Groupe de la rue de Lille ».

Sous la responsabilité, en particulier, de F. de Menthon et de P.-H. Teitgen, le rédacteur en chef des *Cahiers politiques* est le professeur Marc Bloch, du mouvement « Franc-Tireur », assisté de Louis Terrenoire et de Jean Dannenmuller, tous deux de l'équipe de Georges Bidault.

Quelle collaboration éclatante recueillent le C.G.E., dans ses séances de travail, et ces *Cahiers politiques* ! Quelques noms : le bâtonnier Jacques Charpentier, Michel Debré (« Jacquier »), maître des requêtes comme A. Parodi, Pierre Lefaucheux (« Gildas »), Francisque Gay, l'ancien directeur de *L'Aube*, René Brouillet, Albert Bayet, Léo Hamon, Emmanuel Mounier, le fondateur d'*Esprit*, Léonard Rist, le professeur Edmond Vermeil, bien d'autres encore...

Les travaux effectués, les études éditées sont en tout cas l'un des éléments d'union de la résistance, témoignent de sa volonté de cohésion doctrinale, même si « les opinions émises... comme dans tous les articles publiés par les *Cahiers* n'engagent que la responsabilité de l'auteur » et même si toutes les solutions préconisées ne doivent pas, le jour venu, être suivies.

Il s'agit, ici, de penser les problèmes.

Lisons, par exemple, sous le titre « Pourquoi je suis républicain » :

" La guerre actuelle est une guerre civile internatio-
" nale. L'Allemagne et les puissances de l'Axe ne l'ont
" pas simplement engagée pour conquérir de nouveaux
" territoires, de nouveaux débouchés et agrandir l'aire

" de leur souveraineté. Elles veulent aussi et surtout
" imposer au monde entier les mythes de « l'ordre
" nouveau », la religion du National-Socialisme, le
" régime politique et social qui en découle. A quoi
" les peuples libres ont répondu par l'affirmation de leur
" volonté de défendre, jusqu'à la mort y compris, en
" même temps que leur territoire, leur civilisation,
" leurs traditions de liberté et de démocratie.

" Pour la France, le Général de Gaulle, le Comité
" national de Londres et toute la Résistance n'ont pas
" cessé de proclamer leur résolution de restaurer, à la
" libération, la République. Notre victoire en effet
" n'aura de sens qu'à cette condition.

" Mais aussi la Résistance ne peut que condamner les
" faiblesses, les intrigues, les ambitions, les déloyautés,
" les mœurs politiques qui, peu à peu et pour leur part,
" nous ont conduits à la défaite et au coup d'État de
" 1940. Nous voulons donc une République profondé-
" ment rajeunie et transformée, et c'est pour contribuer
" à dégager la mystique qui devra l'animer que nous
" avons ouvert cette enquête : « Pourquoi je suis
" républicain ».

" Nous publions dans ce premier *Cahier* les réponses
" d'un chef du Mouvement de Résistance, d'un homme
" politique et d'un philosophe.

N° 1, avril 1943.

Dans le même cahier, figure un texte sur « La France et l'idée d'Europe », et ce sujet reviendra dans *Les Cahiers politiques* de janvier 1944 (n° 5) ; c'est l'affirmation de « la mission européenne de la France », mais aussi du rôle déterminant de l'Empire français, car « une fédération européenne... ne pourrait subsister sans une base économique que l'union avec l'Afrique peut seule assurer. »

Les *Cahiers politiques* se consacrent ainsi à la publication tant de mémoires rédigés en France occupée sur les aspects précis — juridiques, économiques, etc... — que devrait revêtir « la République de demain », que de textes élaborés par le Comité National de Londres et dont la Résistance peut, grâce à eux, prendre connaissance.

161

« Pages d'Histoire »

Dans ce climat enfiévré, passionné, où les Résistants sentent que se fait de façon décisive, après tant de sacrifices et d'efforts, le véritable rassemblement de la nation, voici qu'une brochure de petit format circule de mains en mains. Elle porte ces mots sur la couverture : *Pages d'histoire*... La page de garde, à l'intérieur, est plus explicite : « Appels et discours du Général de Gaulle. »

L'oreille garde le son de la voix, avec son émotion, sa chaleur ; mais, lire ces phrases mêmes, les relire ! C'est la première fois... Et puis, il y a des discours qui n'ont pas été prononcés à la radio et que le lecteur découvre.

Deux mille exemplaires ont été tirés par le « Groupe de la rue de Lille »[47]. Les textes, venus de Londres, ont été remis par Francisque Gay à E. Amaury qui a pris cette initiative.

On en trouve l'écho, notamment, dans *Résistance* du 17 juillet 1943 :

" Certains de nos amis ont eu l'excellente idée de
" rassembler, dans une petite brochure intitulée *Pages*
" *d'histoire*, les textes intégraux des discours prononcés
" par le Général de Gaulle depuis le 19 juin 1940. Il
" n'est qu'à lire la presse collaborationniste des *Nouveaux*
" *Temps* et *Je suis partout* pour se rendre compte de
" l'importance de cette brochure qui est appelée à
" avoir le plus grand retentissement dans tous les
" milieux...

Mais les événements de la guerre suivent leur cours.

Tunis a été libérée en mai par l'armée d'Afrique ; les Forces Françaises libres sont présentes aux combats. Le 10 juillet, les Alliés débarquent en Sicile...

La répression se fait, en France occupée, d'autant plus redoutable. Les classes 40-41 (en partie) et 42 (en totalité) sont, de leur côté, envoyées en Allemagne.

« Le Ministère du Travail de Vichy avoue 300.000 réfractaires », note *Franc-Tireur* qui ajoute : « Chiffre officiel. Vous pouvez en remettre sans crainte de vous tromper ! »

8 JUIN 1943 :

En haut et à gauche : le Général Koenig, héros de Bir-Hakeim et le Général de Larminat rencontrent Catroux. En haut le défilé des troupes alliées à Tunis. En bas, les Français emmènent un groupe de prisonniers allemands.

La France, n° 1 du 14 juillet
1943.

Et, dans le même numéro (15 juillet 1943), une citation de Philippe Henriot est extraite de la publication *Combats* (avec un s ; pour tenter de faire illusion !) du 26 juin :

" Je n'ai pas l'habitude de chercher midi à quatorze
" heure, ni de me mettre en quête de circonlocutions
" pour exprimer ma pensée. De même, je crois bien
" superflu de paraître ne pas voir ce qui crève les yeux.
" C'est pourquoi je constate avec regret, mais sans
" étonnement, qu'une partie de la France et vraisem-
" blablement sa majorité, est réfractaire à la politique
" du gouvernement.

Le journal clandestin conclut brièvement — mais cela suffit :

" On ne saurait mieux dire. Pour une fois, cette
" bouche d'égout parle d'or.

En août, le Comité français de la Libération nationale est reconnu par les gouvernements de Grande Bretagne, des États-Unis d'Amérique et d'Union Soviétique.

En septembre, l'invasion de l'Italie commence. Le 12, les Français prennent pied en Corse.

A ce moment, à la demande du C.F.L.N., les délégués de la Résistance commencent à quitter le sol métropolitain pour aller siéger à Alger. L'Assemblée Consultative tiendra sa première séance en novembre.

Des tirages, des titres

La presse clandestine ne cesse pas un instant de jouer son rôle essentiel, dans l'immense bataille.

Il faut conquérir les hésitants, leur prouver, sur place, que l'ennemi se trouve isolé, que la France se ressaisit, va renaître, qu'ils peuvent eux aussi participer à la victoire.

Défense de la France l'exprime sans ambages dans son nº 35, du 5 juillet 1943 :

" Le seul fait de l'existence des journaux clandestins
" prouve la résistance. Chacun d'entre eux suppose
" l'existence de centaines d'hommes ou de femmes
" qui montrent un mépris total de la mort, typographes,
" conducteurs, transporteurs, dépositaires, distribu-
" teurs. Notre journal n'a-t-il pas été distribué en
" pleine rue par des équipes spéciales ?
"   LA RÉSISTANCE EXISTE
"   DONC ELLE EST POSSIBLE.

Quelques jours plus tard, une nouvelle distribution spectaculaire a lieu à Paris. C'est le 14 juillet 1943. Des équipes fournies de jeunes gens et de jeunes filles, à la sortie des églises, dans les rues, distribuent *Défense de la France*. Cent cinquante rames de métro, plusieurs heures durant, sont tour à tour visitées et, tandis que les portes d'un wagon sont bloquées, *D.F.* est remis de mains en mains.

Le tirage de *Défense de la France* évolue alors entre 150.000 et 200.000 exemplaires. Bientôt, une seconde édition sera tirée en zone Sud, et le tirage montera à 250.000 jusqu'à atteindre 450.000 pour le numéro du 15 janvier 1944, selon les chiffres donnés par le mouvement lui-même.

Combat imprime 50.000 exemplaires et dépassera plus tard largement les 100.000. Le numéro du 15 novembre annonce même : « Ce numéro de *Combat* est tiré à 300.000 exemplaires. » Plusieurs imprimeries utilisent des clichés de format réduit, établis à Lyon pour multiplier les lieux d'impression.

Franc-Tireur en est à 125.000 exemplaires. Et *Libération* (Sud) à 145.000.

Les *Cahiers du Témoignage chrétien*, eux-mêmes, doublés maintenant du *Courrier français du Témoignage chrétien*, dans le souci d'atteindre un public plus large, diffusent au total tous les deux mois 300.000 exemplaires.

Résistance, dans son numéro du 4 février 1943, déclarait à ses lecteurs :

"   L'importance du tirage pose un grave problème de
"   trésorerie. Chaque numéro revient à 45.000 fr. Nous
"   vous demandons donc de nous aider financièrement.

De 20.000 exemplaires, il est passé à 80 ou 100.000 exemplaires.

Ces tirages impressionnants[48] exigent un approvisionnement en papier bien difficile aussi à réaliser. Des imprimeurs, des « comités » font à Vichy, à l'Office de Répartition du papier, des commandes supérieures à leurs besoins, et alimentent la presse clandestine. Des coups de main en procurent aussi. Le mouvement « Combat » note que son « service impression a transporté, imprimé, expédié et réparti plus de 5.800 kg de papier pendant les quatre premiers mois de 1943. » Et cela, dans le temps où *Je Suis Partout*, sous la plume de Lucien Rebatet, avoue :

"   ... Chaque semaine, le papier se raréfie. Encore
"   quelques mois et au pays de Rabelais, de Racine, de
"   Balzac, pour la première fois depuis Gutenberg, il ne
"   sera plus possible d'acheter les classiques nulle part.
"   L'imprimerie deviendra un luxe plus rare qu'aux
"   premiers temps de la Renaissance, Les esprits inquiets,
"   tourneboulés ne produisent d'ailleurs presque plus
"   rien...

Ces journaux sont désormais plus fréquemment illustrés. *Combat*, le 15 octobre, *Défense de la France*, le 11 novembre, reproduisent en fac-similé un message autographe du Général de Gaulle.

Le 30 septembre, *Défense de la France* consacre, en « témoignage », une page entière à d'atroces photos de prisonniers et d'enfants voués aux pires misères et à la mort. Mais qui se doute du sort des déportés ?

Libération (Nord), dont la « coquetterie demeure d'être le seul journal clandestin de la résistance à paraître chaque semaine » (7 septembre), publie un supplément illustré le 19 octobre 1943. Il souligne, le 12 octobre 1943, qu'il en est à son 150e numéro !

Qu'il a fallu surmonter de périls pour obtenir ces résultats ! Et combien de dangers attendent encore les hommes dont, déjà, tant de camarades, sans qu'ils se découragent eux-mêmes, sont tombés !

On ne peut même pas dire que ce mérite est celui seulement de grands mouvements nationaux... Nous avons rencontré plusieurs journaux édités en province. Il en est d'autres.

Au Havre, depuis mai, paraît un petit journal bien imprimé dont le titre se veut un double symbole : *L'Heure H.*

La Marseillaise est, à l'intention de la « province de l'Ile de France », à partir de juillet, l' « organe du Front national pour la libération et l'indépendance de la France ».

12 Octobre 1943

Édition Z N

Troisième Année

N° 150

"Notre seul but est
de rendre la parole
au peuple français"

DE GAULLE

libération

l'hebdomadaire de la Résistance Française

Notre 150e Numéro

Voici le cent cinquantième numéro hebdomadaire de LIBÉRATION. Dans un mois, notre journal aura quatre ans. Ainsi, cent cinquante fois, en zone occupée, malgré la Gestapo, malgré la police de Vichy, nous avons réussi à paraître, et cela avec une régularité exemplaire. Nous nous permettons d'être assez fiers de cette particulière constance. A l'origine, simple feuille dactylographiée, pas-

de 40. Ces hommes et ces formations, purifiés et trempés par la tragique aventure, se sont trouvés réunis fraternellement, non pas au hasard des rencontres et de la guerre, mais parce qu'ils se trouvaient être de la même famille spirituelle. De sorte qu'ils pourront dire demain que, dans la paix comme dans la guerre, ils n'ont jamais cessé de combattre pour la même cause.

La Révolution du Mépris

Sur un mot d'ordre, toute la presse stipendiée s'est mise à pousser des hurlements de détresse. En termes qu'eût aimés feu Joseph Prudhomme, elle clame que « le pays est au bord de l'abîme », que « la révolution de la chie et du désordre est à fleur de re ». dénonce « la carence de l'aut ...

Chaque semaine, *Libération* a paru en zone nord depuis décembre 1940.

La Flamme dont le n° 1 est daté du 15 août 1943, porte ces manchettes : à droite, « Le Nouveau Journal de l'Ouest » ; à gauche, « Supplément régional de *Résistance* ». L'impression se fait à Connerré, dans la Sarthe.

Le Populaire (zone Nord) daté de novembre 1943, dans sa « revue de la presse socialiste clandestine », cite : *L'Espoir*, organe du parti socialiste, qui porte en sous-titre « Le Populaire du Sud-Est » et qui est édité à Marseille (depuis juillet 1943) par Gaston Defferre avec l'aide de Marcel Bidoux ; *Le Populaire du Midi* (juin 1943) et *Le Populaire du Bas-Languedoc* (octobre 1943), de Charles Dumas.

Un *Combat du Languedoc* (juillet 1943) se transforme en *Combat du Languedoc et du Roussillon*, édité à Montpellier ; désirant compléter « notre grand *Combat* national », son n° 1, du 15 octobre, s'ouvre sur des « Consignes aux viticulteurs » !

A Lyon, *Paroles Françaises* sort (avril 1943) sous l'égide de *France d'abord* ; Claudius Sabot est l'un de ses rédacteurs.

Un étonnant petit « canard » satirique, à Lyon aussi, porte même ce titre : *Blag-Out Couve le feu !...* sous le signe de la bonne humeur. Deux numéros se succèdent en mars et en avril 1943, dus à Manuel Molina.

Mais on ne peut, ici, être complet.

Faux clandestins et provocations

Cette intense activité de la Résistance et de sa presse ne va pas sans inquiéter l'occupant.

Déjà, de faux clandestins ont été édités par ses soins. Ce n'est pas qu'ils soient très adroits !

L'Ouvrier normand daté du 9 décembre 1941 s'ouvre par « Quelques vérités sur l'Allemagne », lieu de séjour idyllique, bien sûr ; une autre colonne est intitulée : « Assassins » (« ... Bref, Messieurs les Anglais traitent notre pays avec une cruauté qui n'a d'égale que leur mauvaise foi »). Au centre de la première page : « Si nous parlions un peu du Gaulisme » (sic) permet d'apprendre notamment : « Tous ces profiteurs d'avant la débâcle, tous les profiteurs de la misère actuelle sont pour de Gaulle et contre toi. Vois ce qui t'attendrait si ce général félon prenait la direction en France... »

Il y a aussi quelques faux numéros de *L'Humanité*. Doriot, de son côté, s'y emploie.

Ces entreprises vont se multiplier.

Le Vengeur, de mars 1943, sous le signe de la faucille et du marteau, dont le « fondateur » est Félix Pyat, ancien membre de la Commune (!), n'hésite pas à prévoir la victoire qui est « proche comme elle est certaine ». Mais ce sera la « victoire bolchevique » et « le communisme s'installera partout ». « Les puissances capitalistes anglo-saxonnes » dont les soldats « ne se sont jamais vraiment battus », ne pourront « prétendre avoir participé à l'écrasement de l'Allemagne ».

Ce numéro du *Vengeur* va jusqu'à dénoncer lui-même un faux... faux !

« Nous rappelons les consignes et les conseils donnés
« dans nos trois précédents numéros. Ils sont toujours
« d'actualité. Le Vengeur est pourchassé par la Police.
« Celle-ci fait l'impossible pour dépister et démasquer
« les camarades qui se sont chargés de la distribution
« des numéros et pour trouver l'endroit où s'imprime
« notre vaillant journal. Donc, camarades, faites très
« attention. Les mouchards sont nombreux et tendent

N° 3   JUILLET 1943

LE SALUT PUBLIC

BULLETIN ÉDITÉ PAR MONSIEUR X
Délégué du « Comité Français de Libération Nationale » pour la France occupée

QUELQUE PART EN FRANCE.

Après le transfert de Londres à Alger, le « COMITÉ NATIONAL FRANÇAIS » élargi en « COMITÉ FRANÇAIS DE LIBÉRATION NATIONALE » a confirmé dans ses fonctions en France « Monsieur X », homme politique connu de tous, dont l'identité ne pourra être dévoilée qu'au moment opportun.

Monsieur X continuera donc à donner par ce bulletin, tiré et distribué par son équipe, ses instructions aux Français sympathisants ne faisant pas partie des organisations de combat proprement dites, afin de les guider dans la période périlleuse que nous allons traverser.

De l'ordre et du sang-froid
par Monsieur X

Au Conseil de la Résistance, qui a eu lieu dernièrement quelque part en France occupée, l'accord s'est fait sur la marche à suivre.

Nous avons défendu notre point de vue qui est celui de la majorité de la population dont nous connaissons les aspirations profondes. Tout le monde veut contribuer à la libération, mais sans commettre des actes de folie. Certains groupes ont manifesté une impatience compréhensible. Ils poussent à une participation générale et immédiate de la population aux actions armées de résistance.

Nous avons fait remarquer que le Plan Allié ne prévoyait pas une action aussi dangereuse pour la population civile. Nous nous faisions les interprètes des ordres du Haut-Commandement Allié.

Nous avons fait ressortir qu'une immixtion d'éléments indisciplinés et incompétents pouvait faire courir bien plus de dangers aux opérations des Alliés et à la population qu'à l'ennemi. Le sabotage individuel surtout risque souvent d'entraîner des conséquences néfastes pour la population, sans gêner l'occupant d'une façon sensible. Toute action efficace ne peut être que l'œuvre d'équipes spécialisées, bien instruites et solidement encadrées.

Finalement, notre avis a été écouté. Nous en sommes heureux, car c'est là un premier résultat dont la population n'aura qu'à se féliciter.

Les bonnes nouvelles de Sicile ont soulevé une vague d'allégresse. Enfin, la libération s'approche ! Beaucoup l'attendent pour le mois prochain. Là, il faut modérer l'optimisme. Réfléchissons un peu...

La violence des combats en Sicile, dont la défense côtière était loin d'égaler celle du continent, laisse présager ce que seront les batailles lors du débarquement en France, quand il s'agira d'enfoncer un véritable système de fortifications, pourvu d'une nombreuse artillerie lourde. Le plus dur de l'épreuve nous attend encore.

Il faudra s'arc-bouter pour ne pas être balayé par cet ouragan de feu et de fer qui dévastera notre pays à nouveau.

"   des pièges savants. La police a fait imprimer un faux
"   VENGEUR et, par l'intermédiaire de ses moutons, elle
"   espère pouvoir repérer et mettre la main sur l'équipe
"   du VENGEUR. C'est ainsi que le 14 février dernier,
"   trois de nos camarades furent arrêtés à Toulouse
"   alors qu'ils transportaient chacun un paquet de
"   VENGEUR. Cette arrestation a d'ailleurs jeté une
"   certaine perturbation dans la distribution de notre
"   numéro de février. Mais, patience.

Qu'est-ce par ailleurs que ce journal intitulé : *Le Salut Public* ? Il se présente avec bien de la solennité :

"   Bulletin édité par Monsieur X délégué du « Comité
"   français de Libération Nationale » pour la France
"   occupée.

Ce « Monsieur X », « homme politique connu de tous, dont l'identité ne pourra être dévoilée qu'au moment opportun », se dit chargé par le C.F.L.N., à Alger, de donner par ce bulletin « ses instructions aux Français sympathisants ne faisant pas partie des organisations de combat proprement dites, afin de les guider dans la période périlleuse que nous allons traverser. »

Ses instructions, dans ce n° 3 (juillet 1943), sont : « De l'ordre et du sang-froid ».

Elles se réfèrent aux décisions du Conseil de la Résistance « qui a eu lieu (sic) dernièrement quelque part en France occupée », de même qu'aux « ordres du Haut Commandement allié ».

En bref, il ne faut commettre aucun « acte de folie » comme le voudraient des « éléments indisciplinés et incompétents ». Pas de « sabotage individuel », surtout. Et si « la libération s'approche », encore convient-il de songer aux dévastations — « le plus dur de l'épreuve nous attend encore » —, à un « nouvel exode plus monstrueux encore que celui de 1940 », à la « famine », au « pillage »...

Conclusion : « N'écoutez pas les excités ». Fiez-vous plutôt au « clairvoyant patriotisme » et au « robuste bon sens de Monsieur X »[49].

Combat, en août 1942, avait publié :

ALERTE DANGER

"   La police fait imprimer *Combat* sur les presses de
" *L'Effort*. Ses moutons se présenteront à vos amis
" comme distributeurs de nos journaux, afin de pénétrer
" dans le mouvement.
"   Contre cette odieuse manœuvre, une seule parade :
" N'accepter le journal que par les voies habituelles.
·· Le sort du mouvement peut en dépendre.

La Lettre de la France Combattante, de novembre 1942,
à Londres, avait reproduit cet appel saisissant.
Combat, dans son nº 46 du 1er août 1943, doit revenir
sur :

LES FAUX COMBAT[50]

"   On n'imite que le bon.
"   N'empêche que les salopards qu'il gêne ou qu'il
" dénonce font bonne mesure à COMBAT.
"   Il y a eu d'abord un faux *Combat* diffusé par la
" Légion, d'une bêtise proprement légionnaire.
"   Il y a ensuite l'officiel faux-*Combat* (avec un S)
" qui gémit à longueur de colonnes sur l'aveuglement
" des Français qui n'apprécient pas le désintéressement
" et la grandeur d'âme des miliciens.
"   Enfin, voici une nouvelle petite ordure qui porte
" l'en-tête : *Combat*. Avec une astuce toute policière,
" il commence par mettre en garde ses lecteurs contre
" un faux *Combat* imprimé par la police. Ronéotypé
" par des analphabètes en délire, ce faux *Combat*,
" qu'il ne faut pas confondre avec le vrai-faux, ni
" avec le faux-vrai, a une ambition : Faire peur aux
" nigauds...
"   ... Mais personne ne s'y laissera prendre.
"   Il n'y a qu'un COMBAT. Celui que vous lisez en ce
" moment.
"   On y appelle un chat un chat, et Laval un traître...

Une autre manœuvre est dénoncée dans *Combat*,
toujours, le 15 novembre :

SUPPRESSION DE COMBAT

" La Milice a distribué dans les régions de Clermont-
" Ferrand et de Lyon, sans doute ailleurs aussi, un
" tract qui se croit très habile et qui pue son fasciste
" à plein nez. D'après lui, en effet, un personnage,
" inconnu de tous nos amis et représentant du « Gou-
" vernement Français de Londres » (lequel est à Alger),
" décide de suspendre la parution de *Libération*, *Bir
" Hakeim*, *Combat* et *Franc-Tireur*. « Tout journal
" paraissant à nouveau sous ce titre n'émanera plus de
" notre organisation... Nous annoncerons prochaine-
" ment la parution d'un nouvel organe ». Comme
" c'est fin !
" Nos amis ne s'y sont pas trompés...

Le monde libre à l'écoute

Il y a loin maintenant des premières feuilles reçues à
Londres.

Des suppléments mensuels au *Courrier de France*,
par les soins du Commissariat à l'Intérieur du C.F.L.N.,
reproduisent, depuis janvier 1943, des extraits de la
presse clandestine à côté de « synthèses » sur la vie
française durant l'occupation.

Effectivement, dans l'excellente revue illustrée de
petit format *Accord* éditée à partir d'octobre 1943 par
le « Political Intelligence Department » du Foreign Office
britannique à l'intention des Français et que la R.A.F.
lançait au vent — la romancière Antonia White en est
la rédactrice en chef, assistée d'un journaliste français,
Sylvain Mangest —, il est typique de voir le cas qui est
fait des journaux résistants. Le n⁰ 4 publie un article
de Raymond Mortimer : « Un Anglais lit la presse
clandestine. »

Citons-en quelques lignes :

Un Anglais lit la Presse clandestine

M. Raymond Mortimer, rédacteur littéraire de l'hebdomadaire New Statesman, a récemment parcouru un grand nombre de journaux clandestins français, et il a bien voulu nous faire parvenir son appréciation

LA France, depuis juin 1940, nous est devenue — pour un temps — aussi distante, aussi impénétrable que le Thibet. Cette perte nous fait éprouver le sentiment que la moitié de l'Angleterre a été submergée par la mer... Nous harcelons de questions chaque Français arrivant chez nous. Nous sommes perpétuellement aux écoutes de toutes les informations qui nous parviennent d'Outre-Manche.

Jamais la culture française n'a été plus hautement prisée que depuis que nous sommes isolée de sa source. La musique française, les livres français, la peinture française sont plus que jamais recherchés. Le cinéma de Londres qui ne présente sur son écran que des films français — d'avant-guerre bien entendu — est toujours comble. Plusieurs ouvrages français ont été imprimés en Angleterre. Par exemple, plus de 15.000 exemplaires du *Silence de la Mer* par Vercors, écrit et publié clandestinement en France par les Editions de Minuit, ont été vendus dans notre pays, sa traduction est en cours de préparation.

C'est ainsi, qu'avides de tout ce qui témoigne du moral indomptable et de l'intelligence de la France éternelle, nous scrutons avec une émotion particulière les journaux clandestins qui nous parviennent, et nous sommes saisis de stupéfaction et d'émerveillement devant l'adresse, l'opiniâtreté et l'audace avec lesquelles sont surmontées les difficultés d'une telle entreprise. Nous admirons le courage de ces hommes, de ces femmes, qui éditent, impriment et distribuent ces feuilles en risquant quotidiennement leurs vies à cette tâche.

Venu de Londres : *Accord.*

"   La France, depuis juin 1940, nous est devenue —
"   pour un temps — aussi distante, aussi impénétrable
"   que le Thibet. Cette perte nous fait éprouver le
"   sentiment que la moitié de l'Angleterre a été submer-
"   gée par la mer... C'est ainsi qu'avides de tout ce qui
"   témoigne du moral indomptable et de l'intelligence
"   de la France éternelle, nous scrutons avec une émotion
"   particulière les journaux clandestins qui nous par-
"   viennent, et nous sommes saisis de stupéfaction et
"   d'émerveillement devant l'adresse, l'opiniâtreté et
"   l'audace avec lesquelles sont surmontées les difficultés
"   d'une telle entreprise. Nous admirons le courage de
"   ces hommes, de ces femmes, qui éditent, impriment
"   et distribuent ces feuilles en risquant quotidiennement
"   leurs vies à cette tâche...

Libération (Nord) signale avec joie, le 21 décembre
1943, l'hommage qui vient d'être rendu au dehors sous
deux formes à la presse clandestine : une exposition
Spirit of France (L'Esprit de la France) inaugurée à
Londres et qui va faire le tour de la Grande Bretagne —
« une section importante est consacrée à la Résistance
et à la presse clandestine » ; une motion adoptée, au
début d'octobre, par les journalistes des États-Unis
d'Amérique[51] :

"   ... Nous vous admirons comme des hommes qui,
"   en exposant chaque jour votre vie, maintenez les
"   plus nobles traditions d'une presse libre, instrument
"   nécessaire des hommes libres...

Les *Cahiers du Témoignage chrétien* (XV-XVI) et le
Courrier français du Témoignage chrétien (no 4) repro-
duisent avec la même satisfaction un « Message de Jacques
Maritain au nom de tous nos amis français d'Amérique » :

"   Je suis heureux, mes amis, de pouvoir vous dire
"   mon attachement fraternel et mon admiration. Sans
"   cesse nous pensons à vous. Vos *Cahiers* sont arrivés
"   ici ; nous en avons préparé des extraits qui vont
"   paraître en volumes à New York. Bénis soyez-vous

" de la fermeté inébranlable de votre pensée et de
" l'héroïsme de votre témoignage. La France n'a pas
" perdu son âme...

L'âme de la France...

Une revue universitaire américaine ne dira pas autre
chose, sur un autre ton : « Je pense qu'il n'est pas de
meilleur guide que ces journaux pour connaître les sentiments des patriotes français[52] ».

Encore de nouveaux journaux

Tandis que la Résistance s'unissait dans le C.N.R., les
« *Forces Unies de la Jeunesse* » se sont créées et sortent,
sous ce titre, une feuille depuis le 1er juillet 1943.
Les F.U.J. groupent : « Jeunes de Libération »,
« Combat », « Franc-Tireur », « Résistance », « Front
National », « Jeunes Chrétiens de la Résistance », « Jeu-
nesse Communiste ».

Gavroche (10 mai 1943) s'intitule d'abord « Organe du
Front patriotique de la jeunesse parisienne ». Il deviendra
« littéraire, politique, artistique et social ». Marcel
Bidoux qui signe Jean Fresnoy — il a quitté la presse
clandestine de Marseille et est revenu à Paris — en est à
la fois le parrain et l'animateur.

Avenir, dont le premier numéro est du 20 août et que
dirige Claude Desjardins, se déclare « Journal provisoirement clandestin destiné aux jeunes de France ».

Et voilà quelques fascicules dont le titre est : APRÈS...
la résistance, par la révolution, pour la république ».
En tête du n° 1 de juin 1943, cette affirmation : « Ni
Mouvement, ni Parti, une Tribune des Français pour les
Français ». Un numéro spécial de 24 pages est consacré
en août à « la France trahie par les trusts ! »... « car
il n'y a pas de vraie liberté sans le pouvoir économique. »

L'Aurore se veut « organe de la Résistance Républicaine ». Quatre numéros sont datés : juillet, août, septembre et octobre 1943. Ancien parlementaire et journa-

liste, Robert Lazurick les consacre quasiment en entier à des éditoriaux enflammés.

La France au combat de Marcel Bacquet, en septembre, *Front National*, de Pierre Villon et Laurent Casanova, en octobre, commencent leur publication. Et aussi *Action* qui doit être l' « organe social » du mouvement « Combat » et de sa section d' « action ouvrière » dont l'animateur est Marcel Degliame, dit « Fouché ».

Les Cahiers de Libération — qui deviendront *Les Cahiers de la Libération* — sont à la même époque créés par le mouvement « Libération-Sud ». Ce sont des recueils littéraires où collaborent Jean Cassou, Louis Martin-Chauffier, Claude Aveline, Louis Aragon, Paul Eluard, Jean Paulhan, Albert Camus, Maurice Noël, Marcel Abraham, et aussi Pierre Seghers qui vient de publier des *Poèmes français* clandestins, sous l'enseigne fictive, qu'il utilisa déjà l'année précédente, de « La Porte d'Ivoire, à Genève », et qui, comme délégué du Comité National des Écrivains, suit assidûment à Lyon les réunions du Comité directeur du Front National, avant d'être obligé, pour échapper à la Gestapo, d'abandonner précipitamment toutes ses activités de zone Sud... Une imprimerie achetée par le mouvement lui-même à Auch sort le premier cahier ; Jacques Haumont imprime les suivants à Paris.

Franc-Tireur, de son côté, a créé *La Revue libre* dont les deux sous-titres sont « Études — Témoignages — Documents » et « De la Résistance à la Révolution ». Le n° 1 est daté de décembre 1943. C'est un recueil de textes de doctrine. Il y aura deux fascicules. Marc Bloch, professeur à la Sorbonne révoqué par Vichy, notamment, y écrit, ainsi qu'André Ferrat et Yves Debotton.

Une fusion ! *La France*, « journal mensuel français », publié sous l'égide du mouvement Combat par les soins de Jacques Chabannes depuis le 14 juillet 1943, cesse sa publication après le troisième numéro, sa formule paraissant faire double emploi avec *Défense de la France* désormais diffusé aussi en zone Sud. *Défense de la France* annonce l'événement en ces termes dans son numéro du 25 octobre :

"   En un beau geste vers l'unité, le journal *La France*
"   vient de décider de se rallier à *Défense de la France*.
"   Nous espérons que les lecteurs de *La France* trouveront
"   ici ce qu'ils aimaient dans leur ancien journal, et que
"   *Défense de la France* deviendra leur journal.

Le mouvement « Patriam Recuperare » qui s'est développé surtout dans des milieux maçonniques, lance, lui, le « 1er frimaire de l'an 152 » — pardon, le 22 novembre 1943 — *La Nouvelle République*. Ce sera, animée par le Colonel Eychennes et Louise Weiss (qui signe « Valentine »), ainsi que par le médecin général Peloquin, une feuille ardente, avec 23 numéros jusqu'à la Libération. Ses collaborateurs usent de pseudonymes particuliers : « Akademos », « Caton », « Carnot », « Philodophe »... Les réunions du groupe se tiennent le plus souvent à l'Institut Fournier, dirigé par le docteur Sicard de Plauzolles. L'impression est assurée par l'intermédiaire de Gaston Thil, futur maire de Montrouge.

Sur le front intérieur

Les principaux organes de la Résistance ont maintenant, de plus en plus, une chronique des événements militaires sur le sol national lui-même.

Combat titre sur toute une page : « La guerre en France », et donne le récit détaillé d' « un combat dans le maquis », situé dans l'Hérault, ainsi qu'une importante rubrique du « sabotage dans les deux zones » (15 octobre).

Libération (Sud) groupe de nombreuses nouvelles sous le titre : « La bataille sur le front intérieur. »

Bir Hakeim, Franc-Tireur — d'autres feuilles encore, et la B.B.C. s'en fait largement écho — consacrent des reportages à l'extraordinaire odyssée survenue, le 11 novembre, à Oyonnax, où « les gars du maquis ont

177

tenu la ville, avec leurs officiers, drapeau en tête, clairons sonnant, tambours battant et la croix de Lorraine... »

" 	... Pour la première fois depuis la défaite, un
" 	détachement d'une nouvelle armée, celle de la déli-
" 	vrance, défile dans une ville française. Les chefs,
" 	des officiers, sont en grand uniforme, avec toutes
" 	leurs décorations des deux guerres. Dans la musique
" 	qui scande la marche, dans l'ovation qui n'arrête
" 	pas, les troupes gaullistes, nos troupes arrivent
" 	au Monument aux Morts. Garde-à-vous ! Le drapeau
" 	se place près du monument. Quel silence poignant
" 	plane alors sur la foule ! Il ne s'agit plus d'une de
" 	ces cérémonies officielles de jadis. C'est un morceau
" 	de France dressé contre la trahison et l'esclavage
" 	qui reprend ici sa place. Le Chef Départemental
" 	s'avance alors et dépose une gerbe en forme de
" 	croix de Lorraine, barrée de cette belle épitaphe :
" 	 « Les vainqueurs de demain
	                      aux vainqueurs de 1914-18. »
" 	Les accents mâles et déchirants de la Sonnerie aux
" 	Morts retentissent. Et c'est, immense, unanime,
" 	« La Marseillaise » qui s'envole, chantée par toute
" 	la ville, « La Marseillaise » du peuple et de la
" 	République...

Dans le même numéro, du 1er décembre, *Franc-Tireur* évoque « Grenoble en pleine bataille » : « Dans la Cité des Alpes, au bruit des explosions, une atmosphère d'état de siège, un 11 novembre de combat[53]... »

Tels sont les fruits de ce qu'Indomitus, dans *Défense de la France* (25 octobre), appelle « le Devoir de Révolte ».

" 	... Vous serez des rebelles ! Sur notre sol occupé
" 	vous agirez en hommes libres...

Maurice Clavel, dans le 3e *Cahier* de l'O.C.M., de mai 1943 — consacré, pour la partie « doctrine » à la « Vie économique », comme le 4e *Cahier*, d'octobre, sera consacré à la « Vie sociale » — s'est précisément exprimé au nom des « Jeunes de la Résistance » qui ont « vingt

Les premières photos des
Camps de la Mort.

DEFENSE de la FRANCE

ÉDITION DE PARIS
30 Septembre 1943
N. 39

JOURNAL FONDÉ LE 14 JUILLET 1941
TÉMOIGNAGE

"Je ne crois quelles histoires des
témoins se feraient égorger."
PASC

LES DÉFENSEURS DE LA CIVILISATION...

PRISONNIERS RUSSES
Documents communiqués par un prisonnier évadé.

ENFANTS DES PAYS "PROTÉGÉS"
Photographies prises en Grèce par l'un des nôtres.

Prisonniers russes réduits par la faim à cet effroyable dénûment.

Remarquer dans l'embrasure de la porte l'Allemand qui rit.

Prisonniers russes jetés à la fosse. Un de ces malheureux (Photo du dessous) EST ENCORE VIVANT. Sa main se crispe sur le pantalon de l'un de ses bourreaux. Remarquer l'air tranquille et indifférent des soldats Allemands accomplissant leur "tâche".

Il faut que toutes les mères de France voient où mène la "protection" Allemande "Les innocents, les faibles que la force devait abriter sont écrasés, massacrés, torturés par la force au service d'autres reines. L'Allemagne, une fois de plus, s'est déshonorée devant le monde.

LES ÉTOILES
(à reproduire et à faire circuler)

NOUVEAUX CRIMES CONTRE L'ESPRIT

Le jeudi 25 novembre, à 11 heures du matin, les bâtiments qu'occupe l'université de Strasbourg, repliée à Clermont-Ferrand, sont cernés par une troupe importante de policiers allemands, qui font irruption, mitraillette au poing dans les salles. Le professeur d'egyptologie, mondialement connu pour ses fouilles et ses travaux, surpris par cette invasion, se lève. Une rafale l'abat, sanglant, mort.

Pendant six heures, tous les étudiants présents sont par... à la lettre par les occ... glaciales, les mains en l'air. 120 étudiants, 30 étudi... fusillent l'Esprit... sait rien de leur sort. Un étudiant est tué... Mot d'ordre appliqué... le peuvent...
Le recteur de la faculté est empri... du Nazisme, qui chaque fois qu'ils... bourg, repliée à Clermont... urs...
alsaciens et lorr... mercenaires, qui...
provin... des fondateurs...
ans un... et leurs...
cupants

LES VRAIS TERRORISTES

Au début de Novembre, l'appel contre le Terrorisme de la « Fédération nationale des journaux français de la zone sud » et le « Manifeste » des journaux de la Zone Nord qui lui a aussitôt fait écho ont pleinement démontré que toutes les « Gazettes des Ardennes » publiées d'un bout à l'autre du territoire, endossent la responsabilité d'un vocabulaire inventé pour tourner contre l'opinion française contre les Patriotes luttant héroïquement pour notre sol contre l'envahisseur. Ce vocabulaire et l'emploi qui en est fait, c'est pourtant dans ces journaux qu'on en trouve la clef.

En particulier, on a pu y lire le 13 novembre deux textes significatifs.

Le premier est le compte rendu OFI de l'audience accordée par Pétain aux Pr... miers Présidents de Cour d'Appel : « Je compte sur vous, leur a dit le Maréchal son Garde des Sceaux, Gabolde a précisé que pour eux, le devoir « Consiste à réa... ...meur contre les manifestations de subversion et de dissolution incar... ...e, et de profiter — L'OCCASION EST FUGITIVE... ...ates gens devant la vague d'attentats ind... ...mbat contre les forces chaot... ...ce compte rendu est... ...nonçant la condam... ...iné à des actes terr... ...s s'étaient

La Gestapo et ses complices.

ans en 1940 » : « Notre rôle est clair, il consistera à combattre. » Dans cette « chronique » ardente et lyrique[54], il s'exclame :

"   ... Notre jeunesse existe, parce qu'elle est la
"   jeunesse de 1940, et qui a quelque chose à faire :
"   nous sommes marqués, nés à la vie de Français, sous
"   le signe du désastre et de la mort. Il y a décidément

180

" des choses que nous ne voulons plus revoir...
" Pour le moment, notre jeunesse est un moyen, non
" une fin, une puissance, non une vertu. Notre jeunesse
" n'a pas de sens en dehors d'une victoire française ;
" vous avez oublié de nous le dire, Messieurs, qui
" nous proposez par des jeux, des chants ou du plein
" air, de régénérer notre belle âme sous les risées
" allemandes.

Il n'y a pas que des risées... La presse clandestine rapporte « comment la Gestapo a détruit à Clermont l'Université de Strasbourg » (*Libération*, Z. Sud). Les événements sont du 25 novembre. *Les Étoiles* de décembre 1943, sous le titre : « Nouveaux crimes contre l'esprit », commentent les responsabilités :

" ... Depuis longtemps la faculté de Strasbourg,
" repliée à Clermont, avait senti le danger de laisser
" groupés des étudiants alsaciens et lorrains assez
" « criminels » pour rester Français, bien que leurs
" provinces aient été réannexées par Hitler avec le
" consentement de Vichy. La Faculté avait donc
" demandé de fermer ses portes. Mais M. Abel Bonnard
" agent consciencieux de la Gestapo, avait exigé que
" les étudiants et les maîtres alsaciens et lorrains restent
" groupés, pour que fût ainsi facilité et préparé le
" coup de main de l'ennemi.

A la « une » de *Combat* (n° 53, décembre) : « L'Université sous la botte — la terreur nazie à Clermont-Ferrand. » Et cette conclusion :

" ... Sur 400 à 500 personnes arrêtées, 30 % furent
" retenues, parmi lesquels de nombreux professeurs
" connus par leurs travaux scientifiques ou littéraires.
" ... Naturellement, silence total de Vichy : aucune
" protestation du Maréchal, aucune protestation de
" M. Abel Bonnard, pas une ligne dans la presse. Car,
" cela, ce n'est pas du « terrorisme » : c'est de la
" « kollaboration »...

La Résistance et le C.F.L.N.

Le même 25 novembre, le Général de Gaulle s'adresse, à Alger, à l' « Assemblée Consultative provisoire » qui représente la France et dont beaucoup d'éléments, malgré l'occupation, sont sortis, « par mandat, de ses entrailles »...

Le Comité Français de la Libération Nationale est désormais élargi pour former « un gouvernement d'union », selon l'expression de *Combat*, qui annonce sur trois colonnes que son chef Henri Frenay en devient membre, et qui publie, à la première page, « une téléphoto du Comité d'Alger ». Le texte de cet éditorial est important :

"   UN GOUVERNEMENT D'UNION
"   La nation française fait depuis trois ans, et chaque
"   jour davantage, confiance au Général de Gaulle.
"   Devant la refonte inévitable du Comité, il eût pu
"   former un simple gouvernement de techniciens :
"   compte tenu des difficultés de l'heure, ce gouverne-
"   ment eut bien été le gouvernement du pays.
"   Le Général a voulu au contraire renforcer encore
"   son action en formant un gouvernement représen-
"   tatif. Il a donc associé à ses collaborateurs de la
"   première heure et aux techniciens, quatre représen-
"   tants de ces puissances nouvelles qui contiennent
"   en germe l'avenir de la France : les Mouvements
"   de Résistance, et deux représentants de cette force
"   permanente qui a prouvé sa vitalité dans l'héroïsme
"   de la lutte quotidienne : le parti communiste, qui
"   prend ainsi sa part des responsabilités, au lieu de
"   rester spectateur des immenses difficultés que le
"   gouvernement devra vaincre. De nombreux Français
"   de toutes opinions, et l'unanimité des militants
"   de la Résistance, auraient préféré que de Gaulle
"   s'en tînt là : et n'associât pas au pouvoir les épaves
"   de cet « ancien régime » qui conduisit la France
"   au désastre et la République à Vichy. Nous aurions
"   certes préféré, personnellement, une équipe totale-

"   ment neuve : il y a lieu de tenir compte, cependant,
"   d'un point de vue juridique important, qui justifie
"   la présence de quelques hommes de l'ancien régime.
"   La IIIᵉ République, malgré ses tares, malgré ses
"   ridicules, était restée la République, le régime légi-
"   time de la France. Dans le désastre des institutions
"   subsistaient, comme un fil ténu de légitimité, ces
"   quatre-vingts parlementaires qui avaient refusé de
"   trahir leur mandat et de se « suicider ». Il est naturel,
"   il est juste que ce fil ait été renoué, et que ce symbole
"   de continuité relie la République d'hier à celle qui
"   surgira demain de la volonté du peuple.
"   D'autre part ce gouvernement est aussi un gou-
"   vernement d'union. Or une fois de plus, la propagande
"   ennemie s'en est donnée à cœur joie. « Front popu-
"   laire », « sectarisme », « judéomarxisme » ... tout
"   y a passé.

Nᵒ 52, décembre 1953.

« La solidarité gouvernementale liera les communistes à des Français de toutes nuances », écrit encore
Combat. Fernand Grenier, au micro de Radio-Alger,
le 3 décembre, énonce les raisons qu'ont les communistes
de soutenir « le gouvernement de guerre présidé en Alger
par le Général de Gaulle ». *L'Humanité* du 10 décembre
reproduit son allocution qui commence ainsi :

"   Amis de France, Amis d'Afrique du Nord ! Ça
"   va bien ! pour que Radio-Vichy hurle, et que les
"   bandits de Radio-Paris glapissent contre nous,
"   communistes, c'est que nous faisons du beau travail !
"   Vous les avez entendus les uns et les autres raconter
"   leurs histoires sur la collaboration communiste au
"   gouvernement du Comité présidé par le Général de
"   Gaulle. Ils en ont déversé des mensonges et des
"   mensonges...

Il faut attendre cependant *L'Humanité* du 15 avril
1944 pour apprendre, « sans revenir sur les raisons qui
ont retardé pendant des mois la participation des communistes au C.F.L.N. », que, depuis le 4 avril, François

Billoux et Fernand Grenier sont les « deux représentants » du Parti.

« L'abominable dissidence »

P.A. Cousteau, Philippe Henriot, Louis-Ferdinand Céline, sont à la première page du numéro du 29 octobre 1943 de *Je Suis Partout*. A la deuxième page, un grand article dénonce « l'abominable dissidence intérieure ».

Cette dissidence-là, il faut le dire, a fait, dans cette année 1943, bien des progrès !

Imagine-t-on le nouveau coup d'audace qui est le sien, à Lyon, le 31 décembre ?

Combat, n° 54, de février 1944, conte ainsi l'événement, de façon succincte :

> UN JOURNAL FRANÇAIS
> DANS LES KIOSQUES DE LYON
>
> Le 31 décembre, à Lyon, cinq minutes après la distribution du *Nouvelliste*, une camionnette Hachette passait dans les kiosques, reprenait le numéro qui venait d'être livré, sous prétexte qu'il était censuré, et distribuait d'autres exemplaires, qui furent immédiatement mis en vente.
>
> En réalité, sous le titre du *Nouvelliste*, les lecteurs lyonnais surpris et ravis trouvèrent le texte d'un journal de la Résistance.
>
> On s'arracha les exemplaires. La police alertée trop tard, vint vers 9 heures rechercher les exemplaires délictueux : ils faisaient déjà le tour de la ville.

L'initiative de l'opération, si parfaitement réussie — et qui ressemble trait pour trait à la distribution d'un faux *Soir* (*Le Soir* « volé » lui-même par les Allemands), à Bruxelles, le 9 novembre 1943 — est due à Marcel Grancher et Pierre Scize[55]. L'imprimeur a été — encore

Un seul chef : DE GAULLE
Un seul combat :
    pour NOS LIBERTÉS

Autres organes des
Mouvements Unis de Résistance
LIBÉRATION FRANC-TIREUR

Comba

Dans la guerre comme dans la pa
mot est à ceux qui ne se rendent jamais

ORGANE DES MOUVEMENTS UNIS DE R

LE GÉNÉRAL DE GAULLE.

Alger, 30 Août 194

Mes Camarades,

ce que vous faites,

ce que vous souffrez

dans la Résistance, c'est

à dire dans le Combat,

l'honneur et la grandeur

*de la France * en la défendant.*

La foi apporte !

Voici venir la victoire.

Bientôt, tous ensemble,

nous pourrons pleurer

de joie !

C. de Gaulle

UN DÉPAR
FRANÇAIS

la Co

Depuis le 5 Octob
entièrement libérée.
Un des 89 départe
tropole échappe ain
nazie pour être ensfi
des Français.
Libération d'auta
que le département
précisément un de c
mi entendait ne pas
de ceux que la fune
sacrifiées de juin 1940
Selon les traîtres d
Vichy, les Corses dev
tre des Français. S
serviteurs de l'Axe q
Corse se résumait pe
en une lutte incessan
mination génoise : c
ger qu'ils eussent l
Français de l'Ile à M
ils ont abandonné p
lions d'Alsaciens-Lor
A la trahison, les C
la fidélité et le coura
attendu que les trou
combattante eussen
leur sol pour attaque
garnisons de l'enne
mal vêtus, ils avaie
des armes. Après l'a
vra de l'officier des
teur initial de la rés
nos camarades des r
vint clandestinemen
vrier dernier, un sou
taine Colonna d'Istr
Alliés que, par sou
parachutages, ils f
ses compatriotes le
tériel qu'ils réclama
du jour « J ». Douze
hommes purent, de
armes.
Le jour « J », les C
si impatients que ne
le voir se lever. Auss
pas que des convois
çaises régulières eu
sur l'île pour se sou
de l'armistice signé
Septembre, la révol
mément sur tout le te
femmes, enfants, v

Die Empfänger sind für sichere Aufbewahrung und Vernichtung der numerierten Exemplare verantwortlich.

Vertraulich, nur für den Dienstgebrauch!

Spiegel der Französischen Presse

Bericht der Gruppe Presse der Propaganda-Abteilung Frankreich

1. Oktober 1943

Der Fall Brasillach

Die Ereignisse dieser Septemberwochen haben in den Kreisen der französischen Presse die Scheidung der mutigen von den lauen und ängstlichen Journalisten vorangetrieben. Die Gruppierung der französischen Bevölkerung nach deutschfreundlichen, deutsch-feindlichen oder nur abwartenden und gleichgültigen Elementen ist nun auch hier deutlich sichtbar. Der Fall Brasillach ist dafür bezeichnend. Brasillach, Hauptschriftleiter der mutigen politischen Wochenschrift „Je Suis Partout", kaum von einer Reise zur französischen Freiwilligen-Legion aus dem Osten zurückgekehrt, schlug unter dem Eindruck der Nachricht von der „Demission" Mussolinis dem Präsidium seines Blattes vor, aus der aktuellen Politik auszusteigen und in Zukunft nur noch Literatur zu bieten. Entmutigt durch die militärische Entwicklung, wie er sie sah, und stark beeindruckt durch das heimlich erschienene Buch des unsicheren Collaborationisten Fabre-Luce war seine Meinung.

Le cas Brasillach.

lui ! — Eugène Pons... Furieuse, on le serait à moins, la Gestapo perquisitionne à plusieurs reprises dans les locaux du *Nouvelliste*... Et pourtant, en page 2, une note précisait :

"
"   Ce numéro exceptionnel du *Nouvelliste* a été
"   *entièrement réalisé par les Mouvements Unis de Résis-*
"   *tance* et mis en vente par eux malgré Gestapo et
"   police vichyssoise, à titre de sanction contre la
"   direction collaborationniste de ce journal.

Comment s'étonner dès lors de l'inquiétude qui s'empare des « collaborateurs » ?

Un document, entre autres, est à cet égard bien révélateur. *Spiegel der französischen Presse* est le bulletin périodique du « Gruppe Presse der Propaganda-Abteilung Frankreich ». Les exemplaires en sont numérotés et secrets. Le numéro du 1er octobre 1943 présente gravement « Der Fall Brasillach » — le « cas Brasillach[56] ».

Brasillach, éditorialiste du « courageux » hebdomadaire politique *Je Suis Partout*, à peine revenu d'un voyage auprès de la Légion des Volontaires Français à l'Est, impressionné par la situation militaire « comme il la voit », a souhaité que son journal s'écartât de la politique ; il a été battu dans son propre comité et le directeur général Lesca, au contraire, a renchéri dans l'expression de sa « détermination ». Finalement, Brasillach a repris son « excellent travail politique ». (« Seine wertvolle politische Arbeit »).

Le commentateur continue : « Il est important que les journalistes français sur lesquels on peut compter puissent éprouver le sentiment que l'Allemagne participe à leurs problèmes et les protège. Beaucoup de ces journalistes apprécient le fait que l'Europe s'intéresse à eux... Et, en raison des attentats répétés qui viennent précisément dans ces dernières semaines de frapper plusieurs journalistes amis de l'Allemagne, la question de la protection personnelle se pose de façon plus pressante... »

C'est sur cet aveu — et sous ces auspices — que s'ouvre l'année 1944.

Des discours
de
propagande.

1944

VERS LA LIBÉRATION

Philippe Henriot, ministre de la Propagande

Philippe Henriot prend les fonctions de Secrétaire à l'Information et à la Propagande au début de 1944.

« L'arrivée de Philippe Henriot au gouvernement, écrit le *Bulletin Intérieur des Mouvements Unis de Résistance* (on l'appelle communément le B.I.M.U.R.), doit marquer dans l'esprit des Allemands un asservissement total de la presse... Seuls les journalistes de la Kommandantur auront désormais la parole. » (n° 106, 18 janvier 1944).

Les journaux et périodiques, dans ce temps même, voient leur dotation de papier réduite de moitié, et les hebdomadaires ne sont plus autorisés à paraître que deux fois par mois ! Mais des exceptions sont faites, par exemple en faveur de *La Gerbe*, de *Je Suis Partout*, de *L'Atelier*...

Toutes les stations de radio, sur dix longueurs d'ondes différentes, deux fois par jour, à 12 h 40 et 19 h 40, sont à la disposition du nouveau ministre.

Le Franc-Tireur l'appelle « Henriot - la Peur ».

> Le connaissez-vous ? L'avez-vous vu ? Il a le physique de l'emploi, une longue silhouette de cadavre trop tôt dépendu. La bouche ouverte est un trou noir sans dents. Les oreilles se décollent comme deux anses... Il hait, il tremble ; écoutez-le...
> ... C'est le Lâche de service. Attention ! vous serez bombardés. Attention ! vous allez souffrir, mourir. Restez donc esclaves. C'est tellement plus pratique.
> Puisque le Maréchal l'a dit...
> Sa voix frissonne, grelotte, gémit, évoquant des spectacles d'horreur.
> Maître Henriot plaide au nom de la Trouille bénie, de la Peur sacrée, Notre-Dame de la Frousse. Tant, qu'il rêve soudain qu'un peuple vraiment l'écoute et le suit. Il entre en transes, sa voix éclate, gronde, et Philippe Henriot croit sentir enfin — ô ivresse ! — toute la nation française communier avec lui dans la honte...

Édition de zone Sud, 1er mars 1944.

Quel portrait !

Le propagandiste officiel déploie sans relâche son talent. Il use d'un certain nombre de thèmes systématiquement choisis : les maquisards sont des « bandits », quand ils ne sont pas des « affameurs d'enfants » ; les gens d'Alger ne préparent que l' « asservissement aux Soviets » ; les journaux suisses et Radio-Sottens, eux-mêmes, accomplissent l' « indigne » besogne d' « excitateurs au meurtre » ; Radio-Brazzaville « est obligé de mentir, puisque, autrement, sa cause serait indéfendable ».

Alors, comment s'étonner que, dans la bouche de Philippe Henriot, « la partie de la France qui était dissidente de cœur », devant ces évidences, change peu à peu d'avis ? Le langage, s'il le faut, est celui du bon apôtre. Ainsi, quand Philippe Henriot commente une émission d'Alger :

« ... Eh bien, voulez-vous mon opinion ? Ce qui vous gêne, c'est de voir qu'en dépit de vos efforts, la France reste attachée au Maréchal plus qu'à M. de Gaulle, qu'elle préfère, malgré toutes ces dures épreuves, la fidélité à la dissidence, et que le bon sens, longtemps anesthésié, se réveille chez elle. Elle souhaite la fin de l'occupation, mais elle ne souhaite pas que les occupants d'aujourd'hui soient remplacés demain par les terroristes et les bandits. Elle s'est laissé aller à des accès de mauvaise humeur et d'indiscipline ; elle commence à trouver qu'elle paie bien cher ces incartades... » (7 février, 19 h 40).

Naturellement, Philippe Henriot cite la presse clandestine aussi : Il fait bonne mesure à *Bir Hakeim* et à ses fameuses « listes noires » : « ... J'avais trouvé édifiant d'indiquer à de braves gens de chez nous, qui croyaient encore qu'on peut échapper au terrorisme si l'on n'est pas milicien ou si l'on ne s'occupe pas de politique, que ce palmarès contenait au contraire aussi bien des acteurs que des journalistes, que des stars de cinéma, que des généraux... » (7 février, 12 h 40). Ou bien, il extrait de *Libération* un « aimable entrefilet » sur l'exécution de Pucheu et conclut : « Le sang de Pucheu, bien loin d'apaiser la soif des modernes dieux d'Alger, l'a plutôt surexcitée... » (4 avril, 19 h 40).

Le meilleur morceau, avec longs extraits, est toutefois réservé à la démonstration entreprise, une fois de plus, que la Résistance n'aboutit qu'au « triomphe des armées soviétiques et à leur domination sur notre continent ». « ... Et voici qu'une confirmation... m'est apportée par un autre journal clandestin, une autre feuille, devrais-je dire, qui s'appelle naturellement *Justice*, puisque tous les noms de vertus sont maintenant confisqués par ces gens-là... »

Philippe Henriot décrit complaisamment cette « feuille clandestine, mal ronéotypée sur un papier médiocre », ce qui donne plus de poids encore à son « commentaire parfaitement net de la situation ».

Ce « nᵒ 3, en date du 20 janvier 1944 », laisse-t-il encore un doute sur les « nouvelles victimes désignées par les misérables qui se prétendent les vengeurs de la patrie » ? (11 février, 12 h 40).

Le malheur — mais Philippe Henriot le sait — est que ce journal-là est un faux clandestin d'origine allemande[57] !

Des armes pour les F.F.I.

12 février : le Général Eisenhower est nommé Commandant en Chef du corps expéditionnaire de débarquement.

Le Conseil National de la Résistance affirme la volonté des Français de participer au combat.

A Alger, les représentants de la Résistance à l'Assemblée Consultative réclament aussi des armes pour les maquis.

Action déclare en grand titre : « LA FRANCE VEUT DES ARMES » :

" ... Des détachements de combat sont nés sur tout
" le sol de la Patrie, groupes-francs, francs-tireurs,
" combattants du maquis et de l'armée secrète, groupes
" de sabotages ouvriers ; sans armes, sans vêtements,
" sans moyens, ils sont sortis de la terre de France
" et ils se sont battus...
" ... L'armée des réfractaires qui pourrait dès maintenant libérer des fractions entières du sol national,
" n'a pas encore les armes nécessaires, et le C.N.R.
" demande au C.F.L.N. présidé par le Général de Gaulle
" de prendre toutes les dispositions nécessaires pour
" envoyer lui-même ces armes...
" ... Nous avons pris place dans le combat. Pour
" occuper dignement cette place, nous demandons
" des armes. Que les alliés nous les donnent, que le
" C.F.L.N. nous les donne, qu'il fasse comprendre
" au monde que nous en avons besoin.

Nᵒ 3, janvier-février 1944.

Des armes, en fait, sont parachutées.

En même temps, les maquis, en de nombreux endroits, sont attaqués par les Allemands ou par la Milice. En mars, c'est la bataille du plateau des Glières. En avril, c'est au tour du Vercors de subir son premier assaut.

Le Général Koenig vient d'être désigné, par le C.F.L.N., comme son délégué militaire sur le théâtre d'opérations Nord tandis que le Général Cochet sera délégué militaire sur le théâtre d'opérations Sud. Koenig est aussi nommé Commandant en chef des « Forces Françaises de l'Intérieur » (F.F.I.) — le Quartier Général allié donnera son accord le 18 juin... trois mois plus tard !

" Les Corps Francs de la Libération, animés d'une
" ferme volonté d'action, se joindront à toutes les
" autres forces françaises, et l'union avec les glorieux
" Francs-Tireurs et Partisans et avec les Organisations
" de résistance de l'Armée se fera au sein des *Forces*
" *Françaises de l'Intérieur* qui dès maintenant ras-
" semblent l'intégralité des forces armées de la
" Résistance...

Ainsi écrit *Action* (numéro d'avril-mai).

Le *Bulletin d'Information* de « Ceux de la Résistance » fait le point dans son nᵒ 12 du 15 mai :

" Vichy annonce maintenant que tous les jeunes
" gens de nationalité française, sans distinction, nés
" entre le 1ᵉʳ janvier et le 31 décembre 1925 devront
" se faire recenser en se présentant à la mairie de la
" commune où ils se trouvent.
" En ce qui concerne la classe précédente, l'incendie
" du fichier central de recensement de la classe 44
" situé au S.T.O. Place Fontenoy à Paris donne le
" résultat suivant : Toutes les fiches de recensement
" de la classe 44 venues de province ont été détruites
" sauf celles de la région de Lyon proprement dite,
" étant entendu que les fiches de la Drôme et de la
" Saône-et-Loire ont été détruites sur place ou volées
" dans les Préfectures. Les fiches de la région de Rouen
" (sauf celles du Calvados qui ont été détruites) sont

193

“   demeurées à Rouen et ont échappé à l'incendie.
“   En fait, la résistance de tous les Français tient en
“   échec le plan Laval-Sauckel de déportation.
“   Du 1er janvier 44 au 15 mars, six trains seulement
“   comprenant en majorité de la main-d'œuvre étrangère
“   ont été acheminés sur l'Allemagne. Le Plan 1944 qui
“   devait donner à l'ennemi 98.000 hommes par mois
“   a été tenu en échec. Durant février, 1.500 seulement
“   ont pu être « peignés ».

Tout se prépare pour la grande bataille...

La volonté de renouveau. Le programme du C.N.R.

Les hommes de la Résistance, on n'a cessé de le constater, ont, dès l'origine du combat, cherché toujours à
dépasser l'objectif immédiat de la bataille pour imaginer
le grand rôle humain d'une France rénovée. Combien
de fois ont-ils affirmé qu'ils n'entendaient pas abattre
l'Allemagne, mais le Nazisme ? Combien ont proclamé
la nécessité d'une révolution morale grâce à laquelle
un monde meilleur allait pouvoir renaître !
Cette constante méditation passionnée s'exprime
jusque dans le temps même où la victoire approche.
Les *Cahiers de Défense de la France* viennent à cette
fin compléter, au début de 1944, l'action du journal,
Philippe Viannay, Jean-Daniel Jurgensen et Robert
Salmon s'efforcent à leur tour d'y définir ce que doivent
être « la cité libre » et la politique de demain en une
importante brochure de plus de cent pages.

“   ... Il faut qu'on le sache hors des frontières et à
“   l'intérieur des frontières, écrit Philippe Viannay :
“   *une France nouvelle est née, une France dure, jeune,*
“   *fière, la France de la Résistance.* Ou plutôt, cette
“   France est en train de naître. Et les erreurs ou les
“   excès qu'on peut voir parfois aujourd'hui, qu'on
“   pressent pour demain, sont comme les douleurs de

LES

JOURS HEUREUX

PAR

LE

C· N· R·

Le programme du Conseil National de la Résistance

"   l'enfantement ; elles sont le signe de la vie, elles
"   ne doivent pas cacher la seule réalité importante :
"   que quelque chose de profond s'est éveillé dans les
"   entrailles de la France.

Et, constatant que « la Résistance a fait éclater les
cadres politiques d'avant-guerre », il ajoute :

"   C'est là un moment unique dans l'histoire de notre
"   pays, une occasion que la France doit saisir, si elle
"   ne veut pas laisser s'évanouir sa dernière chance de
"   ne pas retomber dans le chaos des factions et la pous-
"   sière des partis.

Et Philippe Viannay précise sa pensée :

"   ... Il importe donc qu'il se dégage un « parti »
"   — peu importe le nom, Travailliste, Démocrate,
"   Révolutionnaire, ou tout autre, — qu'il y ait dans
"   ce corps une âme, pour diriger ses membres, une
"   tête. Un programme ne suffit pas si l'on veut sérieu-
"   sement envisager l'avenir. *Il faut une doctrine.* Seul,
"   un parti peut en prendre la responsabilité. Seul,
"   il aura la force suffisante pour la mettre en pratique...
"   ... Prenant comme mot d'ordre un thème puissant
"   capable de soulever les masses, LA LIBÉRATION DE
"   L'HOMME, libération sociale, libération de l'esprit,
"   il sera le moteur qui remettra sur le chemin du pro-
"   grès cette Nation que le Monde s'étonnait de ne
"   plus y voir : la France.

Ces thèmes, assurément, correspondent tout à fait
au sentiment de ceux pour qui la Résistance a été,
librement, un acte de foi, sans la moindre considération
partisane. Il n'est pas jusqu'au mot de « travaillisme »
qui ne soit alors volontiers utilisé, comme un symbole
de renouveau.

Depuis la fin de 1943, des fascicules de petit format
à couverture blanche paraissent d'ailleurs qui prendront
le titre de : *Cahiers du Travaillisme français.* C'est autour
du « Groupe de la rue de Lille » d'Émilien Amaury que

cette recherche d'un « rassemblement français le plus
étendu possible » s'effectue. Y participent, entre autres,
Robert Buron, Georges Hourdin, Raymond Laurent,
Ernest Pezet...

    Notre conception du Travaillisme français est
une conception de chrétiens, et nous tenons pour
certain que rien ne peut être construit de durable
dans la France de demain qui ne respecte pas les
principes essentiels de la civilisation chrétienne.
Mais les solutions que nous voulons exprimer sont
des solutions éminemment pratiques et concrètes,
que tout Français peut accepter en dehors de toute
foi religieuse.

Cahier, n° 2, décembre 1943.

Et les études portent sur les problèmes politiques
(« La IVe République : ce qu'en attendent les Travail-
listes français ») comme sur la nécessité impérieuse
d'une « libération économique des individus » qui doit
« doubler et prolonger la libération politique » (Cahier
n° 5, mars 1944).

Le Franc-Tireur a-t-il un idéal différent lorsqu'il
souhaite diriger la France et, par elle, le monde, « *vers
un humanisme nouveau* » ?

    ... La France, par son histoire, par son prestige,
par la confiance que le monde garde en sa pensée,
en son génie créateur et révolutionnaire, la France,
lieu de rencontre géographique des grands courants
mondiaux sera demain, malgré son abaissement
provisoire, la seule nation capable de proposer au
monde, d'essayer devant lui la synthèse de la révolution économique et de la liberté, la libération du
pouvoir de l'argent et des trusts harmonisée avec
le respect de la personne humaine, la fondation d'un
nouvel humanisme révolutionnaire, aussi loin du
désordre capitaliste, de l'égoïsme petit bourgeois
que de la dictature totalitaire.
    La France est au confluent de ces deux grandes
idées : Collectivisme et Liberté.

N° 29, Édition Sud, 1er mars 1944.

On retrouve l'écho de préoccupations de cet ordre jusque dans *Les Cahiers politiques*, le sérieux organe du Comité Général d'Études.

Dans le nº 8, d'avril 1944, un texte intitulé « Sens de la grandeur française » précise :

"   La Résistance veut le rétablissement des libertés
"   démocratiques. Elle veut également l'instauration
"   d'un régime de justice sociale... Pour réussir un tel
"   programme, la République française de demain ne
"   doit, en aucune manière, rappeler la République
"   française d'hier... La République que la France
"   attend doit être forte, organisée, autoritaire même.

C'est dans ce climat que le Conseil National de la Résistance, sous la présidence de Georges Bidault, définit son « programme d'action » le 15 mars 1944,

"   ... qui comporte à la fois un plan d'action immédiate
"   contre l'oppresseur et les mesures destinées à ins-
"   taurer, dès la libération du territoire, un ordre social
"   plus juste.

La répercussion de ce Programme d'action de la Résistance — outre que, sur le plan pratique, il officialise les Comités Départementaux de la Libération et les Comités Locaux « soumis à l'autorité des C.D.L. » — est immédiate et immense. Les journaux clandestins le reproduisent et le commentent. Le texte en circule sous de multiples formes. Le voici même en une mince plaquette qu'édite *Libération*, zone Sud ; la couverture porte ces mots qui ne se veulent qu'à demi sybillins : *Les Jours Heureux, par le C.N.R.*

Ceux de la Libération, par exemple (nº 154, du 23 avril) l'appellent « la Charte de la Résistance » et soulignent : « Ce fait d'une haute importance » signifie que la Résistance n'est pas seulement une force de combat, « soit un facteur négatif, mais aussi une force de rénovation, de redressement, soit un facteur positif ».

Les sources d'information

" ... La presse clandestine de France est unique
" au monde ; elle a comme correspondants le peuple
" français tout entier...

avait pu affirmer une publication de la France combattant, à Londres, dès octobre 1942.

L'un des premiers organes de la Résistance unifiée
avait été, nous l'avons vu, le « Bureau d'Information
et de Presse », de Georges Bidault, créé en 1942, qui
éditait régulièrement un *Bulletin d'informations générales* extraordinairement documenté.

Ensuite, d'autres centres d'information s'étaient constitués dans le cadre des mouvements. Le Parti Communiste
avait, outre ses feuilles intérieures de liaison : *La Vie
du Parti*, son propre *Bulletin d'information* depuis le
20 août 1941. Les « Mouvements Unis de Résistance »
avaient en 1943 créé le leur, le *B.I.M.U.R.*, dans le cadre
d'un « Centre d'information et de documentation »
qui éditait aussi un *Bulletin hebdomadaire de presse*
et un service périodique de *Documents. Libération* (Nord)
avait fait de même au début de 1943, puis le Front
National avec un *Bulletin d'Informations du Front
national de lutte pour la libération de la France*, destiné
aux Comités départementaux, aux secteurs et sections,
aux Comités locaux et d'entreprise (nº 1, 15 novembre
1943), et un *Bulletin d'information (Presse et Radio)*
(nº 1, 6 mars 1944).

A Lyon, le « Comité National des Journalistes » de
zone Sud, — qui comprenait à l'origine, notamment,
Aragon, Louis Martin-Chauffier, Georges Sadoul, André
Sauger, André Wurmser, L. Ternet et, comme secrétaire permanent, Manuel Molina — avait fondé de son
côté l'*Union Française d'Information et de Diffusion*,
le 1er octobre 1943, dont l'originalité consistait essentiellement à donner des nouvelles professionnelles.

Un service d'information organisé par Maurice Nègre
qui, depuis septembre 1942, avait, en accord avec la
Résistance, accepté un poste à l'Office Français d'In-

formation, de Vichy (il devait ensuite être le fondateur du
« Super-Nap », « noyautage des administrations publiques au niveau gouvernemental », avant d'être arrêté
en mars 1944, et déporté), prit même en janvier 1944 le
nom d' « Agence d'Information de la France-Libre ».

Une fusion du B.I.P., du B.I.M.U.R. et de cette
« Agence France Libre » devait à la fin être proposée
par Georges Bidault lui-même. Le 25 avril 1944, c'est
son propre *Bulletin* — il en est au n⁰ 212 ! — qui annonce
la décision prise et la création de l' « Agence d'Information et de Documentation ». L'A.I.D. dès lors publie
chaque jour un *Bulletin d'informations de Presse* et,
chaque semaine, un *Bulletin de la France combattante*
et un *Bulletin de presse étrangère*, sans compter de nombreux documents.

Si l'on ajoute que la presse de la Résistance disposait
des feuilles d'écoute de différentes radios — y compris
la radio suisse —, des notes prises aux conférences d'information de la « Propaganda Abteilung », de nombreuses
indiscrétions en provenance des services officiels de
Vichy, et que, par surcroît, de Londres, des courriers
d'informations polycopiées étaient également destinés
aux mouvements et à leurs journaux[58], on comprend
que tout cet effort considérable ait véritablement permis
à la presse clandestine d'être efficacement renseignée.

Le massacre d'Ascq

Le 3 avril au matin, la presse locale du Nord publie un
« AVIS » de l'« Oberfeldkommandantur » de Lille,
daté du 2 avril 1944.

Le texte commence ainsi :

"   Malgré mes avertissements réitérés, ces jours
"   derniers des attentats ont de nouveau été commis
"   contre des voies ferrées par lesquels furent, entre
"   autres, atteints des trains militaires. Dans la nuit
"   du 1ᵉʳ au 2 avril 1944 lors d'un troisième attentat,

" de ce genre, commis presque aux mêmes endroits,
" sur le territoire de la commune d'Ascq, des coups
" de feu ont été tirés sur un train militaire. La troupe
" a répondu par les armes et un nombre considérable
" d'habitants ont trouvé la mort.

Suivent des prescriptions sur le couvre-feu établi de 20 heures à 6 heures. Et cette conclusion : « Que l'exemple de la commune d'Ascq serve de leçon. »

En page intérieure, il faut chercher la rubrique de l'état-civil pour trouver les « décès des 1er et 2 avril », à Ascq. La liste — atroce — comporte 104 lignes, sans aucune autre explication.

Or, dans son numéro daté du 10 avril, déjà, *La Nouvelle République* évoque ce massacre ; selon cette première version, « dix victimes françaises sont à déplorer ».

Des renseignements plus précis ne tardent pas à être rassemblés.

Le récit des faits est donné notamment par le *Courrier français du Témoignage chrétien* (no 9) dans le style dépouillé d'une dépêche d'agence.

TOUTE LA FRANCE DOIT SAVOIR...

" Le 1er avril, vers 22 h 45, au passage du train 9872
" transportant des troupes et circulant de Baisieu-
" Transit à Amiens-Transit, ligne Lille-Baisieu, à proxi-
" mité de la gare d'Ascq, un accident de locomotive se
" produisit, occasionnant la rupture d'un rail et le
" déraillement de la 7e et de la 8e voitures, obstruant
" la voie 2. Il n'y eut pas de victimes dans le train.
" Vers 23 heures, alors que M. Carre, chef de gare
" d'Ascq, alerté dans son logement par les agents du
" service de nuit, prenait au téléphone les dispositions
" utiles pour arrêter la circulation voie 2, un officier
" allemand qui faisait partie du convoi déraillé faisait
" irruption en hurlant dans le bureau B.V., accompagné
" de plusieurs soldats allemands. Ils abattirent à coups
" de crosse M. Carre ainsi que MM. Peloquin, commis
" de 1re classe, et Dorache, facteur enregistrant, qui
" se trouvaient dans le bureau, puis, de la porte, ils
" tirèrent une salve de mitraillette sur ces trois agents.

OBERFELDKOMMANDANTUR (V) 670
DER OBERFELDKOMMANDANT

AVIS

Malgré mes avertissements réitérés, ces jours derniers des attentats ont de nouveau été commis contre des voies ferrées par lesquels furent, entre autres, atteints des trains militaires Dans la nuit du 1er au 2 avril 1944 lors d'un troisième attentat de ce genre, comme presque aux mêmes endroits, sur le territoire de la commune d'Ascq, des coups de feu ont été tirés sur un train militaire. La troupe a répondu par les armes et un nombre considérable d'habitants ont trouvé la mort.

Pour ces raisons, j'ai ordonné pour un certain nombre de localités une interdiction totale de circuler entre 20 heures et 6 heures. Pendant les heures interdites, les habitants doivent, sans exception, rester dans leurs demeures et toute circulation dans les rues leur sera interdite. Les personnes qui, en raison de leur profession ou pour des raisons d'intérêt public, se trouveraient dans l'obligation de circuler sur la voie publique, devront se justifier de leur identité et s'arrêter immédiatement sur sommation des patrouilles allemandes si ces personnes ne veulent pas risquer que l'on tire sur elles sans autre avertissement préalable. En outre, l'interdiction de la circulation des véhicules automobiles pendant la nuit sera étendue à d'autres arrondissements.

Ces mesures seront exécutées dans toute leur rigueur. La population doit savoir qu'il sera répondu à tout attentat dirigé contre des unités de l'Armée Allemande ou des militaires isolés par tous les moyens que les circonstances exigent. Que l'exemple de la commune d'Ascq serve de leçon. Il est, par la nature même des choses, inévitable que, lors d'événements semblables, des personnes innocentes n'aient à souffrir. La responsabilité en incombe aux criminels qui sont les auteurs de ces attentats.

Lille le 2 Avril 1944.

Signé : BERTRAM.
Generalleutnant.

Quand on conspire

La « leçon » d'Ascq : de l'Avis de l'Ober-feldkommandantur à la liste des décès mentionnés dans la rubrique de l'état civil.

VIANDOX
communiqué...

ASCQ
ETAT CIVIL

Décès des 1er et 2 avril : Dillies Henri-Jean, 9, rue de la Gare; Ramse Auguste-Léonard, 5, rue de la Gare; Declercq Julien-René, 49, rue du Mal Foch; Couque Clovis-Emile, 1, rue de la Gare; Lhernould Paul-Henri, 3, rue Mangin; Lhernould Paul-Alphonse, 22, rue Mangin; Lhernould Gustave, 2, rue du Mal Foch; Dete Emile, 9, rue du Mal Foch; Debachy Henri, 7, rue Mangin; meteeman Abert, 224, rue Marceau; Francke Jules-Julien, 50 bis, rue Marceau; Defontaine Louis-Arthur, 13, rue de Lille, Baisieux; Desrumaux Louis, 48, rue Carnot; Balois René; Lallart Pierre-Philippe, 32 bis, rue Mangin; Castain Edgard-Jules, 6, rue Faidherbe; Comyn Henri; Duretz Roger, 198, rue Marceau; Briet Pierre-François, 4, rue Mal Foch; Béghin Louis-Gérard, 70, rue Courbet; Grimpont André-Jules, 4, rue Abbé Lemire; Poulain Raphaël, 189, bd de Bapaume, à Amiens, 33, rue de la Gare, à Ascq; Delcroix Fernand, 34, rue Pierre Curie, à Hellemmes; Delbecque Henri, 8, rue ... Masséna; Macaigne Paul-Louis, 132, ...

naire, 23, rue Faidherbe; Hébert Raoul, 153, rue Marceau; Guermonprez André-Jules, 2, rue Kléber; Vermus Paul-Damien, 9, rue Mangin; Marga Georges-Henri, 58, rue Marceau; Menez Maurice-Fernand, 2, rue Abbé-Lemire; Chrétien Gaston-Florent, 97, rue Marceau; Roques Jean-Georges, 37, rue de la Gare; Vanpeene Albert-Georges, 58, rue Marceau; Descamps Charles-Maurice, 4, rue Courbet; Delattre René-Maurice, 33, rue de la Gare.

Leruste Paul-Gaston, 5, rue de la ...; Roques Maurice-Jean, 37, ... la Gare; Crucq René-Char... ... rue Masséna; Six Henri-Ro... ... rue Marceau; Vandenbo... Maurice-Henri, 182, rue ... Tisserands ...; Carpentier Maurice-... ...catez, rue 1, rue du Maréchal-Foch; ...Lutun, ru...Lucien; Trackoen Jean; ... mettre, 3...Gaston-Joseph, 136, rue ... publiait... Lautem Constant-Léon, ... Gisele Cré...Marceau; Nuyttens Jean-... Ferdinand...146, rue Marceau; Van-... l'Ermitage...Roger-Marceau, 190, rue ... rageuse, 1...Billiaux Robert-Charles, ...kampt, th...Marceau; Decourselle E., ... palmyra ...la Gare; Delannoy Eu-... rue des ...gene, 19, rue du Maré-... De Clercq...Noblecourt François-... ...9, rue du Maréchal-... ...plomb Paul, 2, rue du ...ch; Dubrulle Charle-... ...é, 4, rue Masséna; Fa-... ...Achille, 35, rue Man-... ...rmaver Henri, 24, rue ... ...Verhaeghe, Lille.

...dré-Désiré, 31, rue du ... ...ch; Vandermess he... ...du Maréchal Foch ... ...Fernand, 11, rue de ... ...ottié Arthur, 69, rue ... ...glard Maurice-Daniel, ...au; Rigaut Arthur; ... ...Désiré, 166, rue Mary ... Gustave, 1, rue ... ...sseau Rob...Ferdi-... ...Pasteur; Oudart ... ...26, rue Marceau; ... ...enri, 114, rue Mar-... ...cien-Adrien, 3, rue ... ...ont Pierre, 89, rue ... ...y Charles, 29, rue ... ...n; Follet Maurice-... ...Faidherbe; Hor-... ...5, rue du Maré-... ...oen René; Hen-... ...n-Baptiste, 150, ...ffry Maurice, 31, ...effry Michel ... ...Gaston, rue Mangin; ... M. l'abbé Gilleron Henri, 67, rue Marceau; M. l'abbé Cousin Maurice-Elie, 63, rue Courbet; Decattoires Marcel-Jules, 51, rue Mangin; Averlon Henri; Averlon Claude; Depoorter Michel-Daniel, 14, rue du Dr Roux à Annappes; Otlet Paul-Pierre, 43, rue Mangin; Couque Arthur-Alphonse, 43, rue Mangin.

" MM. Carre et Peloquin furent grièvement blessés au
" ventre et aux cuisses. M. Derache fut mortellement
" atteint. Après cette exécution l'officier emmena un
" important contingent de soldats dans le pays et ils
" pénétrèrent dans les maisons après en avoir défoncé
" les portes. Soixante hommes de la ville furent emmenés
" dans un pré en face de la gare d'Ascq, où ils furent
" fusillés. Vingt-six autres civils du sexe masculin
" furent également fusillés dans leur domicile ou aux
" abords. Le curé fut assommé à coups de bottes. En
" plus, un certain nombre de blessés, dont le nombre
" n'est pas encore déterminé, fut découvert. La Préfec-
" ture, alertée par la permanence de Lille, fit intervenir
" l'Oberkommando de la Kommandantur. Ce n'est
" que sur l'arrivée de l'État-Major sur les lieux que la
" tuerie cessa. Elle avait duré plus de trois heures.
" On compte parmi les morts vingt-quatre agents de la
" S.N.C.F.

C'est le même texte, sensiblement, dans *L'Humanité*
du 15 avril ; quelques lignes, pourtant, ont été ajoutées :

" ... 22 cheminots d'Ascq ont été fusillés par les
" boches et ce crime odieux a provoqué une légitime
" indignation parmi les cheminots. C'est ainsi que ceux
" du dépôt de la Chapelle, à Paris, firent grève toute la
" journée en signe de protestation.
" Voilà comment s'est déroulé le massacre d'Ascq
" dont les traîtres de Vichy portent la responsabilité
" au même titre que les boches.

Action (avril-mai 1944) qui signale aussi la grève de
protestation de la Chapelle, résume l'information et la
place avec d'autres sous la rubrique : « Crimes nazis et
miliciens ».
Combat (mai 1944), titre en haut de page : « Pendant
trois heures, ils ont fusillé des Français ». Le lecteur ne
peut pas ne pas être bouleversé :

" ... Est-il possible de lire sans une révolte et un
" dégoût ces simples chiffres : 86 hommes et 3 heures.

"   Quatre-vingt-six hommes comme vous qui lisez
" ce journal ont passé devant les fusils allemands,
" 86 hommes qui pourraient remplir trois ou quatre
" pièces comme celle où vous vous tenez, 86 visages
" hagards ou farouches, bouleversés par l'horreur
" ou par la haine.
"   Et la tuerie a duré trois heures, un peu plus de
" deux minutes pour chacun d'entre eux. Trois heures,
" le temps que certains ont passé ce jour-là à dîner
" et à converser paisiblement avec des amis, le temps
" d'une représentation cinématographique où d'autres
" riaient au même moment au spectacle d'aventures
" imaginaires. Pendant trois heures, minute après
" minute, sans un arrêt, sans une pause, dans un seul
" village de France, les détonations se sont succédé
" et les corps se sont tordus par terre.
"   Voilà l'image qu'il faut garder devant les yeux pour
" que rien ne soit oublié, celle qu'il faut proposer à
" tous les Français qui restent encore à l'écart...

Dans *Les Lettres françaises* (n° de mai), « les fusillés
d'Ascq » ont leur place aussi...

"   Depuis, des blessés ont succombé. Le nombre total
" des morts serait à l'heure actuelle de cent vingt-neuf.
"   Faut-il préciser que les familles des victimes
" attendent encore les protestations indignées de
" M. Laval et les condoléances du Maréchal...

Ce n'est là qu'un exemple. La presse clandestine,
dans sa diversité, prouve en tout cas qu'elle sait être
informée.

Des imprimeries « tombent »...

Les périls, pourtant, demeurent et pèsent lourdement
sur la Résistance.
Des arrestations de marque se succèdent : en février,

Émile Bollaert (« Baudoin »), le premier remplaçant de Moulin, et Pierre Brossolette (alors « Brumaire »), tous deux à bord du bateau de pêche « Le Jouet des flots », font naufrage à la Pointe du Raz et sont capturés. A Paris, le Colonel Touny, chef de l'O.C.M., est arrêté par la Gestapo. Médéric tombe à son tour en mars et se suicide héroïquement, comme le fait, le 22 mars, Brossolette, torturé, voulant à tout prix sauver les secrets en sa possession, et se jetant, avenue Foch, d'un cinquième étage.

Les imprimeries n'échappent pas aux coups et à la répression.

Le Livre résistant, « organe illégal des syndicats du Livre parisien », qui commence alors sa parution grâce à Auguste Largentier, de la Chambre syndicale typographique parisienne, se fait l'écho de l'offensive conduite, un matin, contre l'imprimerie de *La Démocratie* :

" Le vendredi 18 février, la Gestapo, cernant l'im-
" primerie de *La Démocratie*, boulevard Raspail,
" emmenait tout le personnel en direction de la prison
" de Fresnes (quatre linotypistes-femmes, quelques
" typos et quelques imprimeurs). Le directeur Marc
" Sangnier est également arrêté. Pas de nouvelles
" depuis leur incarcération.

Nº 2, mars 1944.

L'imprimerie de Marc Sangnier — celle du vaillant journal *La Démocratie* d'avant la première guerre mondiale, celle de *La Jeune République*, du *Volontaire de la paix*, de *L'Éveil des Peuples*... — est effectivement l'une de celles qui n'a pas cessé de travailler clandestinement depuis novembre 1940. Émilien Amaury, ancien collaborateur de Marc Sangnier, avec son « Groupe de la rue de Lille », s'entend à alimenter en travail les vieilles presses de l'atelier familial — avec d'autres simultanément — au service, du reste, de toute la Résistance : « O.C.M. », « C.G.E. », *Témoignage chrétien, Résistance*, « Comité d'Action contre la déportation », *Libération, Franc-Tireur, Lettres françaises*, « Éditions de Minuit », *Le Médecin français, Éternelle Revue* de Paul Eluard, etc... Dans

Imprimerie clandestine installée dans un lavoir parisien et utilisée par *Défense de la France.*

les circonstances les plus difficiles, chacun y a trouvé assistance.

En cette matinée du 18 février, l'imprimerie de *La Démocratie* est occupée à la composition du *Cahier de Défense de la France* que nous citons plus haut. Le personnel arrêté et l'imprimerie fermée, le « Groupe de la rue de Lille » n'hésite pas : il fait immédiatement refaire la composition dans une autres imprimerie, et le tirage prévu est exécuté... avec, simplement, un peu de retard .

Défense de la France a, bien entendu, ses imprimeries! L'une d'elles a vu son activité interrompue par la Gestapo, en septembre 1943 ; elle était installée dans un petit appartement de Clichy. Il y a eu aussi une cave de la Sorbonne, une usine « truquée », et même un lavoir parisien... dont les activités « terroristes » ont fini par être découvertes.

A la fin, pour que le journal ait « des locaux dignes de son importance », « une petite usine de gravure est achetée, toute proche de la prison de la Santé. Des fenêtres, on voit, par-delà les sombres murs, des lucarnes grillées derrière lesquelles se morfondaient les détenus... »

Hélas, le 27 mai, une descente de police, mitraillette au poing, met une fin brutale aux travaux d'impression en cours.

Les n°s 46 et 47 de *D.F.* paraissent cependant... grâce, encore une fois, au « Groupe de la rue de Lille » !

Il en est de même pour *Libération* (Nord). Son imprimerie, alors heureusement déserte, est prise par la Milice à la fin de juin... Le n° 184, daté du 3 juillet, sort ronéoté. Et, déjà, une autre imprimerie a été mise à la disposition de Jean Texcier par Émilien Amaury pour le n° 185 et les suivants. C'est celle de *L'Auto*, rue du faubourg Montmartre...

A Lyon, *Combat* s'était, comme *Défense de la France* à Paris, résolu à monter quasiment au grand jour — c'est-à-dire officiellement déclarée — une imprimerie spéciale au mouvement. Jeune ingénieur, polytechnicien, André Bollier — « Carton », « Alfa » ou « Velin », de ses noms de guerre— s'était fait l'imprimeur de *Combat* depuis l'origine du journal. Il en avait multiplié les centres d'impression, des clichés permettant de décentraliser les tirages. Mais sa réussite est l'installation de l'usine de la rue Viala, à Villeurbanne, où il compose et tire régulièrement *Combat*, et, également, à l'occasion, *Témoignage chrétien*, *Franc-Tireur*, *La Marseillaise* (celle des M.U.R. du Sud-Est), *Action*... Cela dure presque un an... Le 17 juin 1944, Bollier est cerné dans son imprimerie par la Milice. Il la défend par les armes. Il est tué avec deux de ses typographes. Un nouveau numéro de *Combat* est en hâte rédigé à Paris — Albert Camus, en particulier, y participe — et, faute de mieux, pour ne pas perdre un instant, multigraphié.

La Fédération nationale de la Presse clandestine

La solidarité qu'on voit se manifester entre clandestins n'est pas, on s'en doute, née du hasard.

Depuis longtemps, des liens se sont constitués. Il ne s'agit pas d'ailleurs tellement des problèmes présents — qui pourtant se posent et trouvent des solutions — que des problèmes d'avenir. On ne peut pas, dans ces circonstances, être journaliste et ne pas se préoccuper des graves responsabilités de la presse à l'égard de la nation, d'autant que le tragique exemple des journaux « collaborateurs » est, à tout moment, sous les yeux.

Tous les journaux clandestins ont stigmatisé, en ces années, « la déchéance de la presse », selon l'expression de *La Voix du Nord* (n° 47, 1er janvier 1943), puisqu'ils ont lutté, précisément, contre elle.

Les premières conversations, entre représentants de plusieurs mouvements, au sujet des réformes à apporter en ce domaine, une fois la Libération venue, datent sans doute de la fin de 1941, au sein du groupe « Maintenir » puis du « Groupe de la rue de Lille » ; elles ont repris en avril 1943, à Lyon, quand Georges Bidault et André Sauger s'en occupent. Le premier travail d'envergure, toutefois, est accompli un peu plus tard, à Paris, lorsque le Comité Général d'Études, créé par Jean Moulin, institue une « Commission de la Presse », au cours de l'été 1943. Parmi ces membres figurent Francisque Gay, Léon Rollin, Jean Guignebert, Roger Massip, ainsi que des spécialistes appelés en consultation, tel le professeur de droit Marcel Waline, notamment. Son président est Alexandre Parodi.

Les Cahiers politiques, édités par le C.G.E., se font l'écho de ces travaux. Une importante étude sur « le problème de la presse » — « Le problème de la presse figure parmi les plus graves qui intéressent l'avenir de notre pays » — est au sommaire du n° 4, de novembre 1943.

« La presse française, depuis l'armistice, ainsi commence l'article, a donné le spectacle quotidien de l'infamie... »

209

Albert Bayet.

Il s'agit donc de savoir comment, de la liberté retrouvée, va surgir une presse neuve, « capable de vivre dans l'indépendance et l'honneur. »

En même temps, un « Comité National des Journalistes », en zone Sud, s'est formé sous l'égide du Front National, et un comité homologue s'établit ensuite en zone Nord.

Une réunion de représentants de journaux clandestins se tient, à Paris, rue Bergère, avec des hommes tels que : Albert Bayet, Georges Altman, Yves Farge, Georges Vallois, de *Franc-Tireur*, Pascal Pia, de *Combat*, Émilien Amaury, du « Groupe de la rue de Lille », Marc Laurent (« Dr Martel »), du Comité d'Action contre la Déportation. C'est le premier embryon d'une Fédération de la presse clandestine. Une autre, rue de l'Échiquier, a lieu ensuite le 23 septembre 1943 à laquelle assistent plusieurs des mêmes et Pascal Copeau, de *Libération*, le Dr Renet de *Résistance* (il va être arrêté deux mois plus tard, le 23 novembre), Robert Salmon, de *Défense de la France*.

Finalement, dans la salle d'un patronage religieux — l'Association Championnet — rue Georgette-Agutte, à Montmartre, des séances ont lieu, à partir de novembre 1943, où viennent, de plus en plus nombreux, les « responsables » des feuilles clandestines, leurs adjoints, voire les principaux rédacteurs ! La Fédération nationale de la presse clandestine est constituée. Mais ces réunions, pour animées et sympathiques qu'elles soient, n'en apparaissent pas moins affreusement dangereuses. Au début de mars, un « Bureau permanent » est chargé de poursuivre la tâche, tout en assurant les liaisons nécessaires. En font partie, sous la présidence d'Albert Bayet (« Dumont »), de *Franc-Tireur*, Émilien Amaury (« Champin »), du « Groupe de la rue de Lille », Claude Bellanger (« Fabien »), de l'O.C.M., Jean-Daniel Jurgensen (« Delacroix »), de *Défense de la France*, Rigal (« Jegou »), du Parti Communiste, et Jean Texcier (« Serge Boze », ici « Jean Marc »), de *Libération*-Nord.

Les séances, alors, se multiplient dans les lieux les plus divers !

Et les journaux commencent à publier les résultats de ces délibérations :

" La Fédération nationale de la Presse Clandestine
" qui groupe les journaux de la Résistance... écrit
" *Libération* (Nord) le 7 avril, étudie depuis plusieurs
" mois, en accord avec le Comité Général d'Études, le
" problème de la presse de demain. Des projets vont
" être mis au point qui intéressent d'une part le régime
" provisoire de la presse au lendemain de la libération,
" et pour la durée du gouvernement provisoire, d'autre
" part le régime définitif à soumettre à la Chambre des
" Représentants lors du retour aux conditions normales
" de l'exercice du pouvoir. Dès à présent l'accord s'est
" fait sur certains principes...

Le Franc-Tireur qui a, depuis le 1er février 1944, avec
le concours d'Albert Bayet, lui-même toujours étourdis-
sant de verve et de courage, une « édition de Paris » —
d'abord imprimée à Alfortville, puis rue Bouchardon,
derrière la Porte Saint-Denis —, donne, le 30 mai, plus
de détails sur le plan de la F.N.P.C., plan que celle-ci,
d'ailleurs, vient de transmettre au Conseil National
de la Résistance ; il présente ainsi la Fédération :

" La Fédération de la presse clandestine qui rassemble
" les principaux journaux clandestins des deux zones, les
" journaux des Mouvements de Résistance ainsi que
" les organes des Partis, tels que *L'Humanité* et *Le*
" *Populaire*, est un groupement qui s'estime qualifié
" pour parler de l'honneur du journalisme français,
" tous ses membres luttant effectivement dans la Résis-
" tance et publiant, au prix des difficultés et des périls
" qu'on s'imagine, leurs libres journaux face à l'ennemi...

Pierre-Henri Teitgen, « Tristan », nommé en mars,
par le Gouvernement d'Alger, « Secrétaire général » à
l'Information, était venu devant la Fédération de la
presse clandestine le 26 avril. Quand il est arrêté, le
20 juin — Jean Guignebert lui succédera — les Instructions qui auront valeur officielle lors de la libération du
territoire, sont promulguées ; elles sont, sur l'original
venu d'Alger, réimprimées à Paris — par E. Amaury — et
forment ce que les Résistants appellent le *Cahier bleu*.

Pour une
PRESSE PATRIOTE
honnête et libre

●

...gare aux

gangsters !

Tract de la Fédération Nationale de la Presse
Clandestine.

« Pour une presse patriote, honnête et libre... gare
aux gangsters ». C'est le titre d'un tract — tiré à
60.000 exemplaires — par lequel la Fédération nationale
de la presse clandestine, à la fin de juin, explique au
public les mesures qui doivent donner à la France, le
jour venu, « une presse française ».

Et voilà que Jean Luchaire, soudain, s'inquiète...
L'Assemblée consultative a voté un texte instituant
l' « indignité nationale » ; cet « amateur d'oubli » « n'en
revient pas » (*Libération*-Nord, 24 juillet) et se lamente
dans son journal :

"   L'ordonnance algéroise, considérée comme mani-
" festation spirituelle, est affreusement triste, car elle
" prouve que ceux-là même qui, à tort ou à raison, se
" croient proches de reprendre la direction de la Nation,
" ne s'y préparent nullement dans un élan de joie ou
" d'oubli, ou dans l'ardeur d'une reconstruction de
" l'unité française, mais bien dans la rancune, dans la
" méchanceté, dans la volonté d'une désunion accrue par
" le fer et par le sang. Quel prélude à la « libération »...
"   *Les Nouveaux Temps*, 18 juillet 1944.

Quant à la revendication qu'expriment ces « feuilles clandestines vraiment promptes à réclamer l'héritage de la presse publique » (sic) — il parle même de leur « pullulement » — (*Les Nouveaux Temps*, 1er août 1944), le président du « Groupement corporatif de la presse » s'exclame... « Oublie-t-on, ose-t-il écrire, que l'État-Major du Reich, pour des motifs pourtant assez clairs, et sous une pression concentrique, contre laquelle il ne voulait pas effectuer des sacrifices inopportuns, a préféré raccourcir ses points de combat — tel un boxeur qui ramène le poing vers sa poitrine, pour frapper plus fort ensuite... » ? (Cité par *Libération*-Nord, 14 août 1944).

Derniers-nés

Y a-t-il vraiment « pullulement » de journaux clandestins ?

Il faut reconnaître qu'il y a de quoi être impressionné.

Les publications locales sont devenues de plus en plus nombreuses. De même, les organes spécialisés.

Pour les seules professions libérales, quelle abondance ! Depuis mars 1941, le Front national édite *Le Médecin français* qui a publié 26 numéros en quatre années ; le Front national des Juristes sort, depuis mai 1943, *Le Palais libre*.

Musiciens d'aujourd'hui, du Front national de la Musique, (publié à partir de 1942), *L'Écran français*, du Front national du cinéma (n° 1, décembre 1943), sont maintenant (mars 1944) partie intégrante des *Lettres françaises*, ainsi que *La Scène française*, publiée par le Comité du théâtre du Front national. Et *Les Lettres françaises* — « une des plus luxueuses feuilles résistantes », écrit *Je Suis Partout* — poursuit l'audace jusqu'à éditer un *Almanach des Lettres françaises* (mars 1944) de près de 100 pages dont les textes ont été rassemblés par George Adam. Un numéro spécial de la *Bibliographie de la France* est, en avril, une extraordinaire réussite...

Opéra, « organe des Comités de résistance de l'industrie cinématographique », doit notamment à Jacques Chabannes son premier numéro en avril 1944.

En ce qui concerne l'enseignement, *L'École laïque*

« Maréchal, nous voilà ». *Vaincre*, édité par le Front National des Peintres, juin 1944.

existe depuis juin 1941. Quant au Syndicat national des Instituteurs, qui s'est clandestinement regroupé autour de Georges Lapierre, puis de Joseph Rollo, l'un après l'autre arrêtés et déportés, et de J. A. Senèze enfin, il édite *École et Liberté* (n° 1, 1er décembre 1943) qui se transforme en *École libératrice* (février 1944). Sa section de la Seine, avec René Bonissel, publie *L'École du Grand*

Sur une plage de Normandie, devant un L.S.T. où sont portés les blessés alliés, les prisonniers allemands vont s'embarquer.

Paris (avril 1944). En zone Sud, le Comité national des Instituteurs lance *L'École de Bara* (juillet 1944).

Si *L'Université libre* paraît, nous l'avons vu, depuis octobre 1940, une nouvelle édition, sous le même titre, devient en zone Sud l'organe du « Comité national des professeurs » à partir d'avril 1944. *L'Université de demain* est, à la fin de 1943, l'organe national des étudiants

communistes. *Essor*, « L'Avenir de l'étudiant », édité par l'O.C.M.J., date son premier numéro du 2 décembre 1943 — le même groupe sortira *L'Effort*, « L'Avenir de l'ouvrier », sous la direction de Claude Desjardins, en mars 1944.

Parallèlement, la ligue française de l'Enseignement — Confédération Générale des Œuvres laïques —, avec Albert Bayet et Claude Bellanger, édite sous le signe de *L'Action laïque*, et en liaison avec les Syndicats confédérés de l'enseignement supérieur et de l'enseignement secondaire, comme avec le Syndicat national des Instituteurs, un « Message aux laïques de France » qui se veut fraternel et souhaite que tous les Français, dans l'union, participent à « l'œuvre de rénovation ».

Assurément, l'approche de la victoire, la préparation des mesures qui vaudront pour la publication au grand jour, ont suscité, dans ces mois de fièvre, bien des initiatives...

Le Parti Communiste qui, le 1er juin 1944, célèbre, sous la signature de Marcel Cachin, le « 300e numéro de *L'Humanité* clandestine », et qui n'a cessé d'éditer de multiples organes (comme *La Terre*, depuis mai 1941, ou *La Vie ouvrière*, tous deux avec plusieurs éditions régionales, etc.), en ajoute alors à son palmarès un certain nombre d'autres destinés à toucher tous les publics : *Femmes françaises* (janvier 1944), *La Madelon du franc-tireur*, « Journal des marraines des Francs Tireurs et partisans de la région parisienne » (janvier 1944), *Le Galibot*, « édité par la Fédération des jeunesses communistes de France pour les jeunes mineurs » (mai 1944), *L'Apprenti français* (juin 1944), bien d'autres encore...

La C.G.T. en fait autant.

Il n'est pas question de citer tant de titres nouveaux.

Pour les prisonniers et leurs familles, par exemple, *La Défense des prisonniers* « organe des rapatriés », existe depuis 1943 et elle devient avec son no 4 de mai-juin 1944, *La République combattante*, « organe de la Confédération Générale des Combattants, Prisonniers, Déportés et Victimes de la Guerre ». Mais *Assistance française*, à partir de février 1944, s'adresse « aux emprisonnés, internés et déportés civils, à leurs familles et aux familles de patriotes fusillés », tandis que le « Mouvement national des prisonniers de guerre et déportés » crée tour à tour *Femmes de prisonniers* » (mai 1944), *En Avant* (juin 1944)...

La police, elle, a le choix entre *Police et Patrie*, « organe des éléments résistants de la police française adhérents au mouvement Libération » (avril 1944) et *L'Honneur de la police*, « Journal de tous les policiers adhérents au Mouvement de libération nationale » (juillet 1944).

Bientôt, toutes les professions, toutes les catégories sociales, jusqu'aux émigrés, jusqu'aux grandes entreprises vont avoir leur « bulletin » de combat !

Et nous n'avons pas parlé des feuilles rédigées en langue allemande à l'intention des troupes d'occupation, tel ce *Soldat im Westen* courageusement publié depuis septembre 1941 et qui tire quelque 60.000 exemplaires. Il porte en tête, en français : « Ce journal est destiné aux soldats allemands. Diffusez-le avec la prudence nécessaire. »

Il y a encore les... retardataires, ceux de la onzième heure !

Une revue intitulée *France de demain* (la couverture porte : « Revue de l'Enseignement supérieur »), en mai 1944, donne notamment à son sommaire une longue étude sur « les causes de la défaite »...

Destin, dont le n⁰ 1 est (aussi) de mai 1944, s'annonce comme le « Messager de la résurrection française ».

Des feuilles de circonstance, à la fin, claironnent même la victoire :

Délivrance ! barre sa première page d'un grand titre : « Les libérateurs sont à nos portes » ; nous sommes en effet le 20 août 1944.

Le n⁰ 1 du *Journal Officiel des Forces françaises de l'Intérieur* est du 21 août.

6 juin

Revenons en arrière, selon le déroulement de l'Histoire.

Le 29 avril, Pétain, au retour d'un voyage à Paris, a lancé l'un de ses ultimes Messages, aussitôt radiodiffusé et reproduit par la presse du dimanche 30 avril : « Quiconque participe aux groupes de Résistance compromet l'avenir du pays. »

Le 17 mai, Cassino succombe devant l'assaut allié.

Le 2 juin, à la demande de l'Assemblée consultative d'Alger et du Conseil national de la Résistance, le C.F.L.N., prend le titre de « Gouvernement Provisoire de la République française ».

Le 4 juin, Rome est libre.

Et puis, le 6 juin, le jour tant attendu survient. C'est le débarquement en Normandie...

« Le deuxième front est enfin créé... Le jour de gloire est arrivé ».

Tel est le titre, sur la largeur de la page, de *L'Avenir* (n° 15), le journal des jeunes de l'O.C.M., qu'anime Claude Desjardins (« Claude Isnard ») entouré d'un groupe où figure notamment Pierre Jeancart. Deux mille exemplaires de cette feuille datée du 10 juin sont lancés sur le boulevard de la Madeleine, à Paris, du premier étage des magasins des Trois Quartiers. En un instant, la foule s'en empare.

L'appel n'est pas moins véhément et enthousiaste dans *L'Avant-Garde*, organe de la Fédération des Jeunesses Communistes, qui paraît le 15 juin ; il figure, en lettres capitales, sur deux lignes :

« Avec nos Alliés, battons-nous pour la liberté et l'indépendance de la France. »

Le commentaire de Jean Texcier, dans *Libération* (Nord), daté du 6 juin, ajoute toutefois à l'élan du patriote la réflexion du Français soucieux de l'unité nationale :

"   ... Pour nous, Français, déjà meurtris, de nouvelles
"   épreuves commencent. Elles seront certainement

NUMÉRO SPÉCIAL

JOURNAL
PROVISOIREMENT
CLANDESTIN

L'AVENIR

2ᵐᵉ année - N° 15 - 10 Juin 1944

Quand une Nation
s'appelle la France
elle ne capitule pas
pour trois batailles
perdues.
CLEMENCEAU

Le deuxième Front est enfin créé...

Le JOUR de GLOIRE est ARRIVÉ

Les premières phases du combat décisif

Le 6 juin 1944, dès les premières heures, les troupes alliées débarquaient sur le sol de France. Quatre ans après avoir été contrainte de l'abandonner, l'Armée anglaise secondée, cette fois-ci, par nos amis Américains prenaient pied sur le territoire français. Quatre années durant lesquelles la France n'a cessé de combattre l'ennemi commun, et s'est préparée pour être présente à la dernière bataille, comme elle l'avait été à la première.

C'est sur 90 kms de longueur de côtes normandes entre Cherbourg et Le Havre que le premier débarquement a eu lieu. Quatre mille bateaux, mille mille avions y ont pris part. Malgré leurs immenses préparatifs et leurs fanfaronnades, les Allemands écrasés par le feu de l'artillerie de la Marine Royale et par les bombes n'ont pu empêcher les Alliés de se maintenir sur ces 90 kms de côtes. Le « mur de l'Atlantique » a été pulvérisé avant l'assaut. Des troupes parachutées et aéro-portées en grand nombre déposées sur les arrières immédiats du front ont désorganisé la défense allemande. On ne saurait trop célébrer l'héroïsme de ces soldats isolés en pays tenu par l'ennemi qui doivent lutter des jours entiers sans aucun repos. On sent eux qui ont permis aux troupes débarquées de s'avancer très rapidement par Caen, dont la possession avec son aérodrome et sa gare sur les lignes Paris-Cherbourg et le Mans-Cherbourg est d'une importance capitale. Dans la ville, la Résistance française a pris part aux combats.

La France compte sur vous

Comme l'a dit le Général de Gaulle, Président du « Gouvernement provisoire de la République », dans cette dernière et gigantesque bataille pour la Libération, la France va avoir son rôle à jouer. Déjà sur toute la longueur du front et sur trente-cinq kilomètres de profondeur, la Résistance française, alertée, est entrée en action. Petit à petit, c'est tout le territoire de la Patrie qu'il faudra combattre. Dans ces heures décisives pour le sort du monde entier, la France compte sur tous ses fils. Comme l'a souligné le Général de Gaulle, pour agir avec efficacité, il faut agir en masse organisée et avec discipline. Les membres de la Résistance doivent obéir scrupuleusement aux consignes qu'ils ont reçues. Ils doivent tout faire pour rester en contact avec leurs responsables et maintenir coûte que coûte leurs liaisons. Ceux qui n'ont pas reçu d'ordre doivent rester disponibles.

RESTEZ A LA DISPOSITION DE LA NATION est le devoir essentiel de chacun. Vous avez donc tous à sauvegarder votre Liberté. Vous ne devez pas tomber aux mains de l'ennemi. Vous, qui êtes isolés, arrangez-vous pour écouter avec soin la Radio alliée qui vous renseignera sur ce que vous devez faire. Ne vous impatientez pas. Chacun aura l'occasion de faire son devoir, tout son devoir. L'heure du sabotage, de la grève, de l'embuscade, de l'insurrection viendra. Soyez toujours prêts à faire votre devoir, à répondre « Présent » à l'appel de la Patrie. Dès que vous en aurez l'occasion, jetez-vous hardiment dans l'action. Discipline certes, mais aussi beaucoup d'initiative.

Reculer c'est trahir

L'ennemi qui joue sa dernière carte sait très bien quel danger mortel représente pour lui l'hostilité de tout le peuple français. Il ne ménagera rien pour essayer de le terroriser. Déjà dans certains départements côtiers, des avis ont été placardés où l'on lit notamment : « L'armée d'occupation sait que certains Français ont l'intention d'intervenir contre ses membres en cas de débarquement massif de troupes parachutées. Tout acte d'hostilité sera impitoyablement puni de mort. Des représailles seront exercées contre les familles de ceux qui participeraient à de telles actions ». Nous ne pouvons douter par ailleurs que la Barbarie Boche épargne nos fermes, nos maisons, nos villages. Au moindre mouvement, les sauvages de la tuerie d'Ascq recommenceront leurs exactions, extermineront la population. Cependant quand l'instant sera venu d'agir, les FRANÇAIS DEVRONT TOUT BRAVER. Ils ne sauveront leur Patrie qu'au prix des plus grands sacrifices. RECULER ALORS CE SERAIT TRAHIR. Ce n'est que par l'héroïsme de chacun que la France sera libérée. D'ailleurs, la décision ferme et inébranlable de tous, en précipitant la défaite de l'ennemi, sera le plus sûr moyen d'éviter à la Patrie de trop longues et de trop cruelles souffrances. Si tous acceptent au moment voulu le sacrifice suprême, beaucoup seront sauvés.

Les traîtres vont payer

L'heure est enfin venue où la France va être débarrassée des traîtres et des lâches qui prétendent la gouverner depuis quatre ans. Bientôt nous n'aurons plus la tristesse et le dégoût d'entendre ceux qui voudraient représenter la France prolonger cette suite ininterrompue d'appels à la trahison, à la peur, à la passivité, à la lâcheté. La France n'aura plus la honte d'entendre, après le discours d'un Pétain ou d'un Laval essayant, avec l'ennemi, de terroriser la population, un lâche appel à l'intérêt, à l'égoïsme, à la peur, jouer le chant glorieux de « La Marseillaise » : Qu'un sang impur abreuve nos sillons. Le sang impur, après le sang boche, ce sera celui de tous les traîtres et de tous les vendus qui peuvent quatre ans ont trahi et vendu le corps et l'âme de la France éternelle. L'heure de la justice et du châtiment, l'heure de la délivrance a sonné.

Unis dans la bataille

Les manœuvres de division de l'ennemi et des traîtres ont échoué. La Résistance française forme un bloc compact où toutes les nuances de l'opinion sont représentées. En particulier au sein des « Forces Unies de la Jeunesse Patriotique » toute la jeunesse française est groupée dans un seul élan pour un seul combat. Autour de cette unité de la Résistance, derrière le Comité National de la Résistance en France et le Gouvernement provisoire de la République dans l'Empire, la France tout entière doit s'unir. Surmontant les divergences d'opinion, tous les Français s'uniront dans la Bataille décisive dans laquelle la France, aujourd'hui, forge son avenir.

Vers l'Avenir : la Liberté

Si la France a devant elle des heures d'épreuve douloureuses et sanglantes, ces heures d'héroïsme seront aussi des heures joyeuses. Car c'est à travers elles que la France conquiert son avenir. Quatre années d'esclavage, de pleurs, de sang, vont prendre fin. La France va recouvrer la Liberté. Liberté qui sera le trait essentiel, dont les quatre années de servitude, de la barbarie nazie, nous ont fait mieux sentir son importance. La France va se choisir son gouvernement, sa constitution, ses dirigeants. Libérée du capitalisme tyrannique, elle choisira son régime social et de nouveau remplira dans le monde sa mission humaine et civilisatrice. Enfin, la France va redevenir elle-même pays d'Humanité, de Liberté, de Justice et d'Amour !

AVENIR.
Publié par l'O.C.M.J.

" cruelles, mais cette heure pathétique, nous l'attendions
" depuis quatre ans, et nous y sommes préparés. Cette
" ignoble vie qui nous était impartie, cette servitude
" qu'on nous affirmait être la paix dans l'honneur et
" dont nous savions qu'elle était l'instrument du
" vainqueur, voici que ces horreurs se dissipent et que
" devant nous s'élève une réalité brillante de clarté :
" des armées alliées se battent en France et pour la
" France.
"   Ce combat est le nôtre. Toutes les forces de la Résis-
" tance sont aujourd'hui mobilisées, tous ses hommes
" sont à leur poste. Mais il faut aussi que tous les
" patriotes quels qu'ils soient et où qu'ils soient se
" mobilisent au service de la France.

Semaines décisives

Les journaux des grands Mouvements ne manquent
pas de matière en ces semaines décisives. Les Français,
sans exception désormais, sont, le soir, à l'écoute de
Londres. Ils suivent les événements sur les cartes des
atlas scolaires... Plus d'un découpe les documents précis
— et, pour étonnant que ce soit, toujours exacts — que
Goebbels lui-même donne dans son hebdomadaire *Das
Reich*... La presse clandestine, elle, diffuse la « Proclama-
tion du Conseil National de la Résistance à la Nation
française » (16 juin), multiplie les « consignes d'action »,
combat les fausses nouvelles que les Allemands ou que
certains politiciens qui se croient encore une chance,

tentent de répandre, anime de toutes les manières la grande insurrection nationale.

En même temps, il lui faut parfois prendre position contre de nouvelles erreurs alliées à l'égard de la France en armes ; elle n'hésite pas ; c'est « à l'attention de M. Roosevelt » que *Le Franc-Tireur* (Édition de Paris, 30 juin-14 juillet) fait un rapprochement saisissant entre « Insurgents d'Amérique — Insurgés de France ». Le texte est d'Albert Bayet. L'édition Sud le reprendra. Il commence ainsi :

"   En 1775, les Insurgents américains, avides de
" liberté, faisaient appel à la France.
"   Ces Insurgents étaient des « rebelles », proclamés
" tels par le Gouvernement légal. Ils avaient contre
" eux, sur leur propre sol, de prétendus loyalistes qui
" tentaient de les frapper dans le dos.
"   La France n'hésita pas.
"   Elle reconnut les « Insurgents », elle reconnut les
" « rebelles ». Le jeune Lafayette s'en fut porter à
" l' « illégal » Washington le salut et les armes de la
" France.
"   Cent soixante-dix ans ont passé. La France, vendue
" à Hitler par un traître, a ses « insurgents », ses
" « rebelles », traqués à la fois par Berlin et Vichy.
" Elle a son Washington : de Gaulle.
"   De Gaulle s'adresse aux États-Unis. Le président
" Roosevelt répond qu'il n'a pas l'assurance que les
" patriotes insurgés représentent vraiment la France...

Oradour

Et voilà qu'après Ascq, après l'assassinat collectif de 250 prisonniers politiques à la prison de Caen, le récit de ce qui vient de se passer à Oradour-sur-Glane éclate à la face du monde.

Pour *Ceux de la Résistance* (17 juillet), c'est « le bûcher humain d'Oradour ». Pour *Les Allobroges* (14 juillet),

COURRIER FRANÇAIS DU
TÉMOIGNAGE CHRÉTIEN

NUMÉRO 12 — LIEN DU FRONT DE RÉSISTANCE SPIRITUELLE — NUMÉRO 12

CHRONIQUE DU TERRORISME HITLERIEN EN FRANCE

DÉFI

ORADOUR SUR GLANE

...ES LETTRES FRANÇAISES

NUMÉRO SPÉCIAL — 1er AOÛT 1944

SUR LES RUINES DE LA MORALE :
Oradour-sur-Glane

Après la Tragédie...

ASCQ
1er Avril 1944

Un ordre de massacre

c'est « l'horrible carnage ». Partout, l'atroce barbarie hitlérienne fait pousser un immense cri d'horreur.

Deux témoignages détaillés sont publiés qui dépassent les mots et se refusent aux commentaires. Le *Courrier français du Témoignage chrétien* (n° 12) date le sien de « Limoges, le 17 juin 1944 » :

"   Je vous envoie un compte rendu des événements
"   tragiques qui se sont déroulés il y a quelques jours
"   dans notre région. Les événements dont vous lirez le
"   récit ne sont que le point culminant d'une série d'actes
"   inimaginables dont nos villes et nos campagnes
"   viennent d'être et sont encore le théâtre.
"   J'ai rédigé moi-même ce compte rendu, avec le
"   concours de quelques camarades qui ont ajouté leur
"   témoignage au mien. Je jure sur mon honneur
"   qu'aucun détail n'est inventé et que le récit est au-
"   dessous de l'horrible réalité.

Suivent les faits, qui sont du 10 juin.

Les Lettres françaises à qui Georges Duhamel a fait tenir d'extraordinaires pages, déchirantes, dues à un Parisien qui, précisément, allait embrasser les siens en vacances à Oradour, les publie en un numéro spécial daté du 1er août 1944. Un titre suffit à Paul Eluard qui l'ajoute de sa plume en confiant ce texte, pour l'impression, au « Groupe de la rue de Lille » :

Sur les ruines de la morale : Oradour-sur-Glane

Et le poète fait appel au poète en reproduisant simplement, après le récit terrible, le texte fameux de Victor Hugo : « Toutes les forêts s'emplissent de voix tonnantes : Tocsin ! Tocsin ! Que de chaque maison il sorte un soldat... »

225

« Justice est faite »

28 juin. Selon la presse allemande — en langue française —, c'est « une perte irremplaçable »... « Philippe Henriot a été exécuté » écrit *L'Humanité* dès le 30 juin ; la nouvelle tient en peu de lignes :

" Le traître Henriot, insulteur des patriotes et
" engagé dans la Waffen S. S., a été exécuté à Paris,
" dans son ministère, par une quinzaine de patriotes.
" Justice a été faite.

Le Franc-Tireur (Ed. de Paris, 14 juillet) présente la chose sans plus d'embages. Le titre : « Philippe Henriot, fusillé par la France, est tombé au service de Hitler ».

" Dans Paris, ce fut la joie !... Il n'y avait qu'à
" regarder les visages des passants le jour de « l'accident
" de métier » de Philippe Henriot... Obsèques natio-
" nales ? Quelle sinistre bouffonnerie... Milicien et
" ami des nazis, Henriot hurlait à la mort des patriotes,
" vantait l'ordre des bourreaux allemands et du tueur
" Darnand. Il est tombé en service commandé, com-
" mandé par Hitler, et fusillé par des Français. C'est la
" guerre.

« Une Canaille de moins », écrit pour sa part *L'Université libre* (n° 98 du 1er juillet).

Robert Lazurick — qui a emprunté à Vallès ses pseudonymes, tantôt « l'Insurgé » tantôt, comme ici, « Jacques Vingtras » — analyse dans *L'Aurore* (n° 13, juillet 1944) le personnage qui, après tant de discours nationaux, « se précipita dès 1940 au micro » et « se vautra dans la défaite » :

" Philippe Henriot est mort. Il méritait de mourir.
" J'écris cela sans allégresse mais je ne saurais trouver
" d'autre oraison funèbre. Depuis la capitulation de
" Bordeaux, il mettait à la disposition d'une politique
" qui accrochait la patrie enchaînée au char de la grande

"   Allemagne toutes les ressources de son intelligence
"   et de son talent. Or, cette politique Philippe Henriot
"   savait qu'elle conduisait à l'asservissement de la
"   France.

En direction de Sigmaringen

Sur Cherbourg flotte le drapeau tricolore. Sienne est
prise par les Français. Minsk est aux mains de l'armée
rouge. Caen, Saint-Lô sont libérés par les Alliés...

Sur le territoire français encore occupé, la Milice frappe
ses derniers coups. La presse clandestine annonce, ensemble, l'assassinat de Georges Mandel, le 7 juillet, et celui
de Jean Zay — du 21 juin —, deux anciens ministres,
deux patriotes.

Le Populaire (zone Nord), du 15 juillet, écrit à propos
de Georges Mandel :

"   ... Il a été ramené à Paris, a passé deux heures à
"   la Santé, puis a été remis à des tueurs qui l'ont
"   exécuté en Seine-et-Oise.
"   Livré aux Allemands par le Gouvernement de Vichy,
"   puis livré au Gouvernement de Vichy par les Alle-
"   mands pour être lâchement exécuté, tel est le doulou-
"   reux calvaire gravi par l'homme d'État. Les nazis
"   franco-allemands ont pu abattre l'ancien compagnon
"   de Clemenceau. Ils ne réussirent pas à tuer son esprit,
"   qui est l'esprit du peuple tout entier : chasser l'enva-
"   hisseur, exterminer ses complices...

Le 20 juillet, d'étranges soubresauts se produisent à
Paris même dans les services allemands. A son Grand
Quartier Général, Hitler a été l'objet d'un attentat...
Mais on apprend qu'il est sauf !

Coïncidence ? Le 21 juillet, une délégation se présente à
l'Ambassade d'Allemagne à Paris, chez Otto Abetz. Elle
est porteuse d'un manifeste. Les signataires entendent
obtenir de Vichy sous la pression allemande « l'élargisse-

ment du Gouvernement par l'entrée d'éléments indiscu-
tables » afin que la France, sauvée de « l'anarchie
intérieure », soit « capable de parcourir » avec le Reich
« la dernière partie du chemin qui mène à la victoire de
l'Europe ».

Le document entier est publié dans *La France intérieure*
(Cahier n° 23) de Georges Oudard. C'est lui, déjà, qui
avait, dans son « Cahier n° 15 », du 15 décembre 1943,
révélé le texte in-extenso du « Mémorandum des Cinq »
du 19 septembre 1943.

Les signataires sont cités, et la liste en est longue.
On y relève notamment : Abel Bonnard, Fernand de
Brinon, Marcel Déat, Amiral Platon, Benoist-Méchin,
Jean Luchaire, Jacques Doriot, Alphonse de Chateau-
briant, Charles Lesca, Jean-Hérold Paquis.

Parmi les mesures que réclame Marcel Déat — « élément indiscutable » — figurent les « sanctions sévères,
allant jusqu'à la peine capitale, à l'égard de tous ceux
dont l'action encourage la guerre civile et compromet
la position européenne de la France ».

Mais des villes françaises, tour à tour, sont libérées :
Coutances, Avranches, Rennes, Alençon, Orléans...

Le 15 août, la Première Armée française débarque sur
les côtes de Provence.

Le 20 août, Pétain doit quitter Vichy. « D'un château
l'autre », comme écrit Céline, il va être conduit jusqu'à
Sigmaringen.

Photo prise des bureaux du « Groupe de la rue de Lille » où sont installés les Ministères clandestins de l'Information et du Ravitaillement. Que vient faire ce tank allemand ?

C'est la fin

« Enrôlez-vous dans les F.T.P.F. » (« Francs-Tireurs et Partisans Français»), proclame encore *L'Humanité* du 15 août 1944.

« Pour le million d'adhérents, il faut recruter et agir : Tous les patriotes ont leur place au F.N. ! » a lancé de son côté *Front National*, « journal central du Front national de Lutte pour la Libération et l'Indépendance de la France » (n° 6, juin 1944).

La guerre continue.

Dans Annonay, héroïquement délivrée par le maquis à la mi-juin, mais reconquise, ont paru durant quelques jours la *Gazette du Comité de libération nationale* et le *Journal d'Annonay*.

Le premier journal de la France libérée est, à Bayeux, *La Renaissance du Bessin*.

Libération (Nord), dans son numéro du 24 juillet, a salué *La Nouvelle République du Centre-Ouest*, à Tours, « organe de la Résistance républicaine et socialiste de la région », mais il s'agit encore — pour peu de temps, il est vrai — de numéros clandestins.

La Drôme en armes, « journal d'information française sous le Patronage des Comités nationaux des Écrivains et des Journalistes » — Aragon, Elsa Triolet, Andrée Viollis le rédigent — a été publié pour les maquis au combat. Son n° 4, du 5 septembre, annonce en manchette : « Toute la Drôme est libérée. Après les victoires de Montélimar, Romans et Valence, la 19e armée allemande s'enfuit vers Lyon. »

Le dernier numéro clandestin du *Franc-Tireur* — Édition Sud —, le n° 37 du 25 août, crie lui aussi dans un grand titre : « VICTOIRE ! LES F.F.I. AUX PORTES DE LYON. Un tiers du territoire libéré ».

Le 19 août, débute l'Insurrection parisienne.

Le 21 août, selon le plan établi par la Fédération nationale de la presse clandestine, et en liaison directe avec le Secrétaire général à l'Information, Jean Guignebert, qui a établi son « Ministère » au 37 rue de Lille — ce

« La médaille de la Résistance 1940-1944 a été décernée pour son action patriotique à la Fédération Nationale de la Presse Clandestine dont est née à la Libération la Fédération Nationale de la Presse Française. » Lors de l'inauguration de la plaque où ces lignes sont gravées, en 1954, se sont trouvés réunis cinq des membres du Bureau permanent de la F.N.P.C., de gauche à droite : Jean Texcier, Émilien Amaury, Albert Bayet, Claude Bellanger et Jean-Daniel Jurgensen, auprès de Pierre-Henri Teitgen, le « Tristan » d'alors (le 3e à gauche).

sont les bureaux de l'Office de Publicité Générale, siège du fameux « Groupe de la rue de Lille » ! —, les journaux de la Résistance ont pris possession des immeubles que viennent d'abandonner les journaux de l'occupation. Ils sont aussitôt répandus dans Paris, avec leurs titres surgis de l'ombre, au matin du 22 août, et mis en vente autour des barricades.

Le 23, la Résistance — avec Pierre Crénesse — s'empare de la radio. Les cloches de Paris, à toute volée, entendues dans le monde entier, sonnent la Liberté.

Le 25, les chars du Général Leclerc entrent dans Paris.

Le 26 août, le Général de Gaulle descend les Champs-Élysées et se rend à Notre-Dame.

Du 5 au 14 septembre, à Saint-Dié que tiennent toujours les troupes allemandes, Jean Luchaire fait paraître encore ce qu'il appelle *Les Nouvelles françaises...*

Sur les barricades,
la vente des premiers journaux libres.

Les combats de la Libération.
Carrefour des boulevards St-Germain et St-Michel.

NOTES

1. — Il n'existe pas de bibliographie des tracts de cette époque. Ce serait une recherche extraordinairement intéressante, mais difficile (cf. note 4).

2. — Pour les affiches, on n'omettra pas de se reporter à *Sur les murs de Paris (1940-1944)* par Pierre BOURGET et Charles LACRETELLE (Hachette, 1959). On ajoutera cependant au chapitre de 1944 les grandes affiches réalisées clandestinement par l'Office de Publicité Générale et le « Groupe de la Rue de Lille » (Émilien Amaury, entouré de Roger Meusnier, André Régnier et Jean Sangnier, notamment) et qui furent apposées le jour même de la Libération de la capitale.

3. — Jacques DEBU-BRIDEL, dès le début de 1945, a publié un *Historique des Éditions de Minuit*, qui est un vivant témoignage ; des précisions pourraient y être ajoutées aujourd'hui. Bien entendu, les éditions clandestines ne doivent pas être confondues avec les actuelles Éditions qui portent le même nom.

4. — Signalons l'excellent *Essai de répertoire des tracts lancés par avion pendant la guerre 1939-1945* par Pierre JAMMES. 1946. Un catalogue comportant quelque 12.000 tracts « officiels » et lancés d'avion est en cours d'établissement à la Bibliothèque Nationale, par les soins de M. P. Roux-Fouillet.

5. — Sur *La Libre Belgique* de la première guerre mondiale : Jean MASSART, *La presse clandestine dans la Belgique occupée*, Paris, 1917 ; FIDELIS, *L'Histoire merveilleuse de la Libre Belgique*, Bruxelles, 1919 ; ISTORICOS (Pierre Goemaere), *Histoire de la Libre Belgique clandestine*, Bruxelles, 1919.

6. — Périodiques clandestins diffusés à l'étranger, nº 1048, *in Catalogue* de R. et P. ROUX-FOUILLET (Bibliothèque Nationale).

7. — Gustave LE ROUGE et Louis CHASSEREAU, *La Gazette des Ardennes (Les Coulisses de la propagande allemande)*, Tallandier éd. s. d.

8. — Pour une évocation plus détaillée des journaux de la collaboration et des conditions matérielles de vie à cette époque, on lira *La vie à Paris sous l'occupation, 1940-1944*, par Gérard WALTER (Coll. Kiosque, 1960).

9. — Dans un *Appel aux journalistes* édité clandestinement en 1943, le Comité directeur du Comité national des journalistes écrira notam-

ment : « ... Nombreux sont les journaux qui, en zone alors non occupée, ont mené une lutte quotidienne, à la fois prudente et hardie, pour la défense des positions françaises et ont payé leur résistance d'une suspension provisoire ou définitive. » On sait qu'un certain nombre se sont volontairement sabordés lorsque les troupes nazies envahirent la zone sud en novembre 1942.

10. — *Hitler m'a dit* par Hermann RAUSCHNING, Éditions Coopératives, Paris, 1939.

11. — On lit dans les *Souvenirs, 2ᵉ Bureau, Londres*, du Colonel PASSY l'évocation des enregistrements des premiers « talks » de la France libre à Londres : « ... Et déjà en cette fin de l'année 1940, la France résistait ; déjà l'esprit avait retrouvé ses droits contre l'envahisseur. Je n'en veux pour témoignage que ces *Conseils à l'occupé* qui furent écrits et diffusés à cette époque et que nous reçûmes à Londres dans le premier courrier d'un de nos agents. Je les reproduis ici tels que je les reçus. » (Raoul Solar, éd., 1947).

12. — *Écrit dans la nuit*, par Jean TEXCIER, La Nouvelle Édition, Paris, 1945. Recueil de ses plaquettes clandestines : *Conseils à l'occupé*, *Notre combat*, *Propos de l'occupé*, *Lettres à François*, *La France livrée*, et d'un choix d'articles du journal *Libération*.

13. — On se référera en particulier au livre très documenté et empli de fac-similés : *Une page d'histoire : les Communistes français pendant la drôle de guerre*, par A. ROSSI (Paris, Les Iles d'Or, 1951).

14. — *Faux et usage de faux : l'appel du 10 juillet 1940*, par Paul PARPAIS, dans *Le Populaire* du 12 juillet 1954.

15. — Filleul de Raymond Deiss, Robert Cusin lui a consacré un article dans *L'Aurore* du 9 décembre 1954 où il précise en particulier qu'après la guerre de 1914-1918, R. Deiss fit, comme éditeur de musique, « preuve d'un goût et d'un discernement extraordinaires. C'est lui qui découvrit et lança Darius Milhaud, Honegger, Georges Auric, Francis Poulenc ». Une plaque commémorative sur la maison qu'il habita au 5, rue Rouget-de-l'Isle, a été apposée par les soins de la Fédération Nationale de la Presse Française.

16. — Jean TEXCIER, dans sa préface d'*Écrit dans la nuit*, dira qu'il devint lui aussi « diffuseur du journal *Les Petites Ailes de France*, en même temps que du curieux *Pantagruel*, cet ancêtre des journaux clandestins imprimés... » Ceci montre que la résistance à ses débuts n'était composée que de fort peu d'hommes. Ce sont les mêmes qui, à l'époque, se retrouvent toujours.

17. — Une feuille clandestine : *Arc* (octobre 1940-janvier 1941), par Henri MICHEL, *in Revue d'Histoire de la Deuxième Guerre Mondiale*, nº 30, avril 1958.

18. — Cf. A. CALMETTE, *La formation de l'O.C.M.*, *in Revue d'Histoire de la Deuxième Guerre Mondiale*, juillet 1959.

19. — Le groupe « Maintenir » fut créé en septembre 1940 par Alfred Rosier, Claude Bellanger, Jean Kreher, Georges Jamati, François de Lescure. Celui-ci était alors Secrétaire général de l'Union Nationale des Étudiants qui avait son siège dans les bureaux de la place Saint-Michel où fonctionnait le Centre d'Entraide aux Étudiants mobilisés et prisonniers.

20. — Incarcéré à Vals, le Général Cochet reprendra ses activités dès qu'il sera rendu à la liberté ; celles-ci comprennent également la constitution de dépôts d'armes clandestins. Il sera arrêté de nouveau en septembre 1942 et il s'évadera, lors de l'occupation de la zone Sud, et rejoindra Londres.

21. — Le sous-titre de *Libération* sera tour à tour : « Organe des Français libres », « Hebdomadaire des Français libres », « Hebdomadaire des Forces de Résistance française », « Hebdomadaire des Mouvements Unis de Résistance », « Hebdomadaire de la Résistance française ». La « Naissance de Libération » fera l'objet d'un article dans le n° 160 — clandestin aussi — daté du 21 décembre 1943 ; mais les noms, alors, ne pouvaient être donnés. On peut citer aujourd'hui parmi ceux qui formèrent, assez vite, la première équipe autour de Christian Pineau : René Parodi, jeune magistrat qui devait être arrêté par la Gestapo en février 1942 et assassiné en avril ; Jean Cavaillès, professeur de philosophie « replié » de Strasbourg en zone Sud puis « remonté à Paris », il sera lui aussi arrêté, et fusillé en août 1943 ; André Philip, Louis Vallon... Et, bien entendu, Jean Texcier ; c'est à lui qu'en février 1942 est confiée la responsabilité du journal lorsque Christian Pineau (« Francis ») part en mission à Londres, et il la garde désormais entière. On se référera, pour ses débuts, à « *La Simple vérité (1940-1945)* », de Christian PINEAU, où celui-ci donne le récit de ses activités dans la Résistance, de ses missions à Londres, puis, après son arrestation par la Gestapo en mai 1943, de sa déportation à Buchenwald.

22. — Victor Basch, esthéticien, philosophe, professeur honoraire à la Sorbonne, Président de la Ligue des Droits de l'Homme, a été assassiné par la milice. On lira dans *Les Étoiles*, février 1944, n° 16 : « Voilà l'homme qui, à 80 ans, avec sa femme du même âge, a été, un jour de janvier 1944, arraché de son humble logement de Saint-Clair, près de Lyon, par les tueurs de Darnand, emmené avec sa femme dans un champ, dépouillé comme sa femme de ses vêtements et criblé de balles de mitraillettes. Il était membre du Comité directeur du Front National ».

23. — Claude AVELINE dans *Franc-Tireur* (11 septembre 1944) évoquera sous le titre « *Souvenirs des Ténèbres* » l'épopée de *Résistance* et sa fin tragique : « ... Une nuit de février, ce fut Levitski qu'on arrêta. Il fallut quitter une zone pour l'autre, s'en aller travailler ailleurs, Lyon, Toulouse. Vildé se trouvait alors à Marseille. Il accourut. En apprenant ce que nous appelions « l'accident » de Levitski, il décida de remonter à Paris. Je nous revois sur la place Carnot, devant Perrache, et sur le quai même de la gare, le suppliant de remettre une expédition aussi folle. Je n'ai pas le courage d'évoquer le reste. Son arrestation fantastique, l'interminable instruction — un an —, les dix condamnations à mort. Fresnes, le Mont-Valérien, Vildé demandant à mourir le dernier... »

24. — Le n° 2 de *Résistance*, du 30 décembre 1940, avait donné intégralement le texte de l'appel lancé de Londres, sous le titre : « L'heure d'espérance ». Voici comment, dans ses *Mémoires de Guerre*, le Général DE GAULLE évoquera ces moments et l'état d'esprit d'alors des Français : « Pourtant (...) il nous fallait bien constater que,

dans les deux zones, l'opinion était à la passivité. Sans doute écoutait-on partout « la radio de Londres » avec satisfaction, souvent même avec ferveur. L'entrevue de Montoire avait été sévèrement jugée. La manifestation des étudiants de Paris, se portant en cortège derrière « deux gaules », le 11 novembre, à l'Arc de Triomphe, et dispersés par la Wehrmacht à coups de fusil et de mitrailleuse, donnait une note émouvante et réconfortante. Le renvoi momentané de Laval apparaissait comme une velléité officielle de redressement. Le 1er janvier, comme je l'avais demandé, une grande partie de la population, surtout en zone occupée, était restée à domicile, vidant les rues et les places, pendant une heure : « l'heure d'espérance ». Mais aucun signe ne donnait à penser que des Français, en nombre appréciable, fussent résolus à l'action... » (*L'Appel*, 1940-1942).

25. — *Carlton Gardens et la presse clandestine* par Jean CRÉMIEUX-BRILHAC, dans *L'Age d'Or*, décembre 1946. Les mêmes détails donnés par la conférence de P. Simon sont reproduits en anglais dans *La lettre de la France libre*, éditée officiellement à Londres au 4 Carlton Gardens, no 15, février 1942. On lit également dans le même article : « *Valmy* a été le second journal clandestin imprimé en France occupée ; le premier fut *Pantagruel* (voir *La lettre de la France libre*, no 1) dont l'éditeur, dit Simon, a été récemment fusillé par les Nazis. » En fait, nous avons là un exemple des imprudences verbales commises par Simon ; Raymond Deiss, de *Pantagruel*, avait été effectivement arrêté en octobre 1941 ; ce n'est qu'en juillet 1943 qu'il fut exécuté à la hache dans la prison de Cologne.

26. — On lira, comme un témoignage caractéristique, ce qui est publié, quant à l'esprit des deux zones, dans *Les Petites Ailes*, tirage de zone libre (1er juillet 1941) : « *A nos amis de zone libre*. Notre chef vient de faire un voyage en zone occupée. Il a pris contact avec nos camarades. Il en est revenu profondément ému de la magnifique ambiance qui y règne et plein d'admiration pour le progrès qui ont été réalisés. Ce n'est point la place ici d'en donner le détail. Sachez seulement que nos frères étroitement unis par notre idéal commun travaillent à plein cœur, avec une foi et un dévouement que récompensent de grands résultats. Il n'est point de place là-bas, dans la France asservie, aux préoccupations mesquines, aux soucis terre à terre. La terre et les hommes y vibrent à l'unisson contre le viol permanent et douloureux de notre liberté. Hélas ! Le retour en zone libre permet de mesurer la différence profonde, tragique, qui sépare les deux morceaux de la France. Ici, aucune énergie, aucune grandeur, mais seulement un fatalisme apathique cachant souvent la plus basse des lâchetés. Les événements extérieurs, la crainte pour l'avenir de la Patrie laissent indifférente la majorité des Français de zone libre. La préoccupation dominante reste le souci du ravitaillement qui prend dans les esprits et les conversations la plus large part. Nous ne pouvons pas croire qu'après la tragique leçon de notre humiliante défaite nous n'ayons pas compris le sens profond des mots « PATRIE — DEVOIR — SACRIFICE ». Le peuple français fut pourtant celui qui naguère était le champion de l'idée, de la spiritualité ; ne sommes-nous plus dignes des hommes dont le sacrifice illustre toutes les pages de notre histoire ?... »

27. — *Pétain et la cinquième colonne*, rédigé par Albert BAYET, fut édité clandestinement par *Franc-Tireur* en 1944. Sous le titre *Pétain !* le Général Chadebec de Lavalade avait publié une plaquette documentée, en 1942, à Rio de Janeiro, puis à Beyrouth en 1943 ; une édition abrégée, sur papier léger, avait été réalisée en avril 1943 pour être diffusée clandestinement en France occupée.

28. — Le texte des commentaires que Pierre Bourdan donna des nouvelles à la B.B.C. à l'intention des Français a été reproduit dans *Commentaires de Pierre Bourdan 1940-1943*, publié chez Calmann-Lévy à Paris, en 1947.

29. — Dans le tome I des *Mémoires de Guerre* du Général DE GAULLE, l'événement est ainsi présenté : « A la fin de 1941, les communistes entrèrent, à leur tour, en action. Jusqu'alors, leurs dirigeants avaient adopté à l'égard de l'occupant une attitude conciliante, invectivant, en revanche, contre le capitalisme anglo-saxon et le « gaullisme » son serviteur. Mais leur attitude changea soudain quand Hitler envahit la Russie... »

30. — L'impression de *Libération* (zone Sud) va se faire, après les premiers numéros tirés à Clermont-Ferrand, à Saint-Étienne puis à Lyon, grâce à Édouard Ehni, depuis Secrétaire général de la Fédération du Livre. Certains tirages seront effectués aussi à Montélimar, Auch, Toulouse, Bourg-en-Bresse...
L'équipe au long des années va comprendre Pascal Copeau — qui sera le premier représentant au Conseil National de la Résistance, en 1943, de Libération-Sud devenu l'un des grands mouvements de résistance —, Lucie Aubrac, Maurice Cuvillon, Roger Massip, Jean Dutourd, Pierre Hervé, Louis Martin-Chauffier, André Philip, d'autres encore. Yvon Morandat y jouera un rôle particulier ; syndicaliste chrétien, ayant été parachuté en mission de Londres en novembre 1941, il prend contact avec les milieux syndicaux — et aussi avec le Comité d'Action socialiste que nous allons voir note 34 ; c'est à lui, en particulier qu'est dû l'effort du mouvement pour toucher les travailleurs. Dans le n° 4 (décembre 1941), déjà, Léon Jouhaux lance un « Appel aux ouvriers » en faveur d'un « syndicalisme libre ». « La masse ouvrière », écrit l'ancien secrétaire général de la Confédération Générale du Travail, « ... sait bien que ces libertés, toutes ces libertés, ne renaîtront qu'avec les libertés françaises, lorsque l'ennemi aura été bouté hors de la Patrie. »

31. — Auprès de Philippe Viannay se trouvent dès octobre 1940, Robert Salmon (qui signe Robert Tenaille) et, à partir de 1942, Jean-Daniel Jurgensen (qui signe Jean Lorrain ou Lorraine) — tous trois sont encore étudiants — ainsi que le professeur de l'Institut Catholique Alphonse Dain (qui signera Capitaine X... et qui a publié déjà des articles dans *Résistance*). Parmi ceux qui furent les collaborateurs de *D.F.*, au cours de trois longues années — et en 47 numéros —, citons également : Mgr Chevrot (« un prêtre de France »), le vaillant curé de Saint-François-Xavier ; Geneviève de Gaulle (« Gallia ») ; Robert d'Harcourt ; René Lalou ; J. William Lapierre (« Scrutator ») ; J. Lusseyran (« Vindex »)...

32. — Curieux petit journal, *Le Coq enchaîné* est édité à Paris par le groupement qui s'intitule « Les Bataillons de la mort » et qui

Dispositif permettant l'impression
pendant les coupures de courant électrique.

jouera son rôle à son heure avec Denis Dautun (pseudonyme de René Denis), le docteur Albert Dubois, Maurice Petit qui travaille comme typographe dans une grande imprimerie de la rue Fondary, à Paris, et y assure de multiples impressions clandestines jusqu'à son arrestation en septembre 1942, ainsi qu'avec des diffuseurs comme Lucien Chopy, cheminot, etc...

33. — Yves Farge évoque son entrée dans la Résistance en ces termes : « Il est juste de reconnaître que le courageux et délicieux Georges Altman est à l'origine de cette passionnante aventure. Dans ce petit bureau du *Progrès de Lyon* que nous partagions, nous avons pleuré tous les deux le jour où Pia nous apporta le texte d'Aragon relatant le supplice de Chateaubriant... » *Rebelles, Soldats et Citoyens*, Souvenirs d'un Commissaire de la République, Grasset, 1946.

34. — Le manifeste publié dans *Le Populaire* du 15 juin 1942 (n° 2) s'intitule : Manifeste du Comité d'action socialiste. Or, les socialistes résistants de zone Nord, on l'a vu, s'étaient réunis sous le même titre : Jean Texcier, dans *Populaire-Dimanche* du 6 mai 1956, consacrant un article à « Henri Ribière ou la Résistance », évoquera les difficultés nées « lors de l'occupation totale du territoire à propos de la fusion des deux « Comités d'action » dont les activités, les méthodes, sinon les états d'esprit, s'étaient trouvé marqués par deux climats ». Et Jean Texcier rappelle que c'est à Paris que, pour sceller « l'unité organique », une motion fut rédigée et signée par Daniel Mayer et lui-même.

35. — « ... Quelques jours avant qu'il ne s'envolât pour Alger, j'avais rencontré François de Menthon dans un petit appartement de la rue Belliard, où Corval ronéotypait, dans d'affreuses éclaboussures d'encre grasse, le *Bulletin de la France combattante*... » Yves Farge, *Rebelles, Soldats et Citoyens*.

36. — Le Général DE GAULLE écrit dans ses *Mémoires de Guerre* au sujet du B.I.P. : « Moulin avait créé, aussi, le « Bureau d'information et de presse », dirigé par Georges Bidault, qui nous tenait au courant de l'état des esprits, notamment dans les milieux de la pensée, de l'action sociale et de la politique. »

37. — L'étude sur « Les minorités nationales » ne figure pas dans la réédition des *Cahiers* que Maxime BLOCQ-MASCART fit sous le titre : *Chroniques de la Résistance*, son nom seul figurant sur la couverture, une mention en petits caractères stipulant en outre que les « chroniques » étaient « suivies d'études pour une nouvelle révolution française par les groupes de l'O.C.M. » (Corréa, 1945). En fait, les « chroniques » de Blocq-Mascart, pour leur part clandestine, représentent dans la réédition environ 80 pages sur 650.

38. — Ce poème... bien d'actualité parut dans le n° 4 des *Lettres Françaises*, en décembre 1942 ; Claude Bellanger en avait donné une seconde copie, de nouveau par l'intermédiaire de Pierre de Lescure qui la remit à Jacques Debû-Bridel — d'où la mention erronée dans la réédition des *Lettres Françaises* effectuée en 1946. On retrouve cette page dans *Les Bannis*, une anthologie bilingue de la poésie allemande qui répondait aux anthologies officielles d'alors, que Claude Bellanger fit, sous le pseudonyme de Mauges, avec René Cannac (Armor), pour le Comité National des Écrivains et les

Notes

Éditions de Minuit clandestines. *Si l'Allemagne avait gagné la guerre* fut reproduit une fois de plus dans *L'Éternelle Revue* de Paul ELUARD (n° 1, juin 1944).

39. — *Les Lettres Françaises* ne parlent du *Silence de la mer* que dans leur n° 5, de janvier-février 1943. Il s'agit du second tirage. « Un livre vient de paraître, le plus émouvant, le plus profondément humain que nous ayons eu l'occasion de lire depuis l'occupation allemande... »

40. — Le *Bulletin d'informations générales*, du Bureau de Presse de la France combattante, évoquera, dans son numéro du 25 novembre, « l'attitude des journaux de la zone dite libre désormais occupée ». Il cite en particulier *Paris-Soir* qui « a annoncé en grosses lettres qu'il disparaissait, mais il se pourrait qu'il reparût ». C'est ce qui se passe en fait, après huit jours de silence. Dernière à paraître, l'édition de Toulouse se sabordera à la fin de 1943.

41. — Eisenhower avait été, en août 1942, nommé Général Commandant en chef les Forces alliées de l'Atlantique.

42. — Alban VISTEL, *Fondements spirituels de la Résistance*, dans *Esprit* d'octobre 1952, et *Héritage spirituel de la Résistance*, Éditions Lug, 1955. Vistel, résistant dès 1940, animera, sous le pseudonyme d'Alban, *La Marseillaise*, organe régional des M.U.R., du Sud-Est, à Lyon, de février à juillet 1944.

43. — Les thèses que contient l'étude sur la presse de Jacques Debû-Bridel, au moins quant à la période qui doit succéder à « la période de salut public » après la Libération, étaient pour une grande part personnelles et ne devaient pas être reprises par la Fédération nationale de la presse clandestine.

44. — Dans ses « Réflexions sur le cas de conscience français », conférence faite à Rio de Janeiro le 15 octobre 1943 et publiée à Alger aux Éditions Fontaine en 1944, Georges Bernanos écrit : « L'actuelle crise de la conscience française est en réalité la crise de la conscience universelle, et cette crise de la conscience universelle est la crise de la liberté. » Résistances de l'intérieur et de l'extérieur se font écho.

45. — « De ces soupçons, rien ne reste, bien entendu », écrit Rémy Roure dans *Le Monde* du 25 mai 1946.

46. — « Le 15 avril 1943, nos lecteurs trouvaient pour la première fois au bas de l'éditorial la signature de Henri Frenay. C'était un défi de plus lancé à la Gestapo et à Vichy. Puisque leurs agents réunis le recherchaient dans la France entière, puisque tous les commissaires de police possédaient sa photo et son signalement, il estimait dorénavant inutile de se retrancher derrière un pseudonyme et inscrivait son véritable nom au bas d'un article intitulé : « La France a choisi ». » *Combat*, n° 52, décembre 1943, en annonçant que Henri Frenay est désormais membre du C.F.L.N.

47. — La première édition des *Pages d'histoire...* va jusqu'au discours du 20 avril 1943. Une seconde édition, qui contient jusqu'au discours du 12 décembre 1943, est publiée par le « Groupe de la rue de Lille » en juillet 1944, à 4.000 exemplaires. Une troisième édition, demandée

cette fois par le délégué général A. Parodi, est tirée à 50.000 exemplaires au début d'août 1944.

48. — Un document établi à Londres pour le *Courrier de France* est consacré aux publications clandestines éditées en France pendant l'année 1943 et un chapitre est réservé à la « répression » ; il ne concerne toutefois « que les opérations effectuées par les seules police et gendarmerie françaises, et dans la zone Sud pour au moins 90 % des affaires ». Le rapport commence par une statistique d'ensemble : « Il est intéressant de noter qu'à l'occasion de plus de 5.000 perquisitions, 1.700 personnes ont été appréhendées, 1.179 arrêtées et écrouées pour activités illicites en faveur des mouvements de résistance éditant les journaux clandestins, 521 internés par mesure administrative pour les mêmes motifs. » Suit une liste impressionnante des « plus grosses saisies opérées » ; ne retenons que quelques exemples : « Le 20 mai, à Toulouse, découverte en gare de 11 colis contenant 22.000 journaux édités par *Libération* ou proclamations intitulées « Aux Armes, citoyens ». » Le 1er septembre, une perquisition effectuée à Lyon au domicile de Pierre Garnier permet la saisie d'environ 80.000 tracts et journaux clandestins provenant des mouvements « Combat », « Franc-Tireur » et « Forces Unies de la Jeunesse ». « Le 25 octobre, saisie en gare de Clermont-Ferrand de 12.500 exemplaires de *Combat*, 4.500 exemplaires de *Défense de la France*, 3.000 d'*Action* ». « Le 2 décembre, découverte à Auch de quatre caisses entreposées dans la cave de l'immeuble de la Maison du Prisonnier et contenant des *Cahiers de Libération*, n° 1, de septembre ». « Le 3 décembre, à Lyon, l'arrestation de Chalon et Gonnard amène la saisie de valises contenant 13 kg 600 de *Franc-Tireur*, n° 26 du 1er décembre. » La liste tient en trois pages et conclut : « Ainsi, pendant l'année 1943, plusieurs milliers de kilogrammes de journaux et de tracts clandestins édités par les mouvements de résistance ont été saisis par les différents services de Police. Au total, plus de 450.000 journaux ont été mis au pilon, à la suite des plus grosses saisies opérées... » On juge, par là, de la réelle importance des tirages de la presse clandestine.

49. — « Toutes les manœuvres sont bonnes pour découvrir les « gaullistes », écrit *Résistance* du 12 août 1943. De faux journaux clandestins paraissent. L'un d'eux demande aux patriotes de marquer leurs maisons de trois traits bleus, manœuvre germanique un peu trop lourde. Signalons dans cet ordre d'idée le *Bulletin de Salut Public* (sic) édité par un certain Monsieur X... (resic), qui n'est qu'un agent de l'Allemagne, et qui est expédié sous le couvert du *Bulletin du Petit Éleveur*. Mais tout cela ne trompe personne. »

50. — *Courrier de France*, n° 11 (du 1er au 15 août 1943), édité à Londres, reproduit in extenso le texte d'un faux *Combat* daté de janvier-février 1943 et distribué par les Allemands, généralement dans les boîtes aux lettres, quelquefois par la poste, en zone Sud. Mais la publication gaulliste souligne à juste titre « les procédés grossiers employés » qui doivent réduire la nocivité de telles feuilles. En fait, à propos de la Charte de l'Atlantique, on décrit la création d'un État corse indépendant de la France ; on précise qu'une tête de pont britannique, ayant pour base Calais en France, assurera, après

la victoire alliée, la sécurité française ; le désert libyen sera accordé à notre pays « en contrepartie de l'Afrique Occidentale et de Madagascar » ; Tombouctou deviendra possession américaine ; l'expropriation par l'État selon le modèle russe « éliminera cette poussière de petits propriétaires et de petits paysans qui morcellent notre sol » ; la France sera enfin débarrassée de tous les « boutiquiers parasites », etc...

51. — Les journalistes anglais avaient, quelques mois avant, adopté eux aussi une motion d'« Hommage à la presse clandestine ». Sous ce titre, *Résistance*, du 23 juin 1943, écrit : « La R.A.F. a lancé un tract, reproduisant au recto le fac-similé des principaux journaux clandestins français. Dans l'ordre : *Résistance*, *Libération* (Z.S.), *Combat* (Z.S.), *L'Humanité*, *La Voix du Nord*, *Le Populaire* (Z.S.), *Le Franc-Tireur* (Z.S.), et au verso, la résolution adoptée à l'unanimité au cours de la réunion annuelle des délégués de l'Union Nationale des Journalistes, tenue à Londres, les 23 et 24 avril 1943 : « C'est avec fierté et humblement à la fois que nous saluons les journalistes des pays terrorisés par les Nazis. Au péril de leur vie, ils assurent la parution de journaux clandestins, renforçant ainsi le moral des peuples qui luttent pour leur libération. Nous n'admirerons jamais assez nos confrères de l'Europe asservie qui, par leur héroïsme et leur valeur, font vivre pour leurs peuples une presse libre et combattante. Nul ne sait mieux que nous, journalistes, quels sont les risques courus et les difficultés qu'il faut surmonter pour écrire ces journaux sous les yeux de l'ennemi. »

52. — *The french Underground Press and its support of de Gaulle* par Douglas McMurtrie, dans *Journalism Quarterly* (juin 1944) : « I believe that there is no more accurate guide than these papers to the sentiments of French patriots. »

53. — La presse collaboratrice ne peut pas ne pas se faire l'écho de ces événements de Grenoble, mais elle le fait très succinctement ! Le 15 novembre dans *Le Petit Parisien*, dans *Les Nouveaux Temps* datés du 16, le même texte est reproduit sous le titre : « A Grenoble, des manifestants, pour la plupart communistes, sont arrêtés ». Le voici : « Le 11 novembre 1943, à Grenoble, une foule importante, principalement composée d'éléments communistes, a manifesté devant un bureau allemand. Les manifestants du sexe masculin ont été arrêtés en assez grand nombre et emmenés dans un camp en Allemagne. »

54. — La « chronique » de Maurice Clavel n'est pas reproduite dans les « Chroniques de la Résistance », réédition des *Cahiers de l'O.C.M.* Parmi les collaborateurs des « Cahiers » (n° 3, vie économique et n° 4, vie sociale), citons : Max André, Paul Bergeron, Charles Bour, Hélène Campinchi, Roger Dusseaulx, Georges Izard, Aimé Jeanjean, Pierre Lefaucheux, Aimé Lepercq, Jean Morin, Jacques Piette, Jacques Rebeyrol, André Sainte-Lague, Antoine de Tavernost, etc.

55. — Dans ses éphémérides publiées sous le titre *Interdit par la censure*, 1942-1944 (Édition Lugdunum, novembre 1944), Paul Garcin raconte la distribution du faux *Nouvelliste*. Il précise qu'il s'est agi de 30.000 exemplaires.

56. — Voici comment le n° 1, daté du 1er octobre 1943, de l'*U.F.I.D.*, (*Union Française d'Information et de Diffusion*) publié par le Comité National des Journalistes — en zone Sud — raconte l'histoire : « *La panique à* JE SUIS PARTOUT ». « Paris, septembre. Au mois de mai 1943, plusieurs semaines avant la chute de Mussolini, *Panorama,* hebdomadaire italien de langue française publié à Paris sous la direction de Piétro Solari (rédacteur en chef de la « Nuova Italia », organe du fascio en France depuis vingt ans) était offert à tout acheteur pour une somme de trois millions sur laquelle on aurait éventuellement consenti un rabais. Au mois de septembre, *Je Suis Partout,* organe de la Gestapo à Paris, journal de Ferdonnet et de la 5e colonne depuis dix ans au moins, se trouve dans une situation analogue. Une réunion des principaux collaborateurs s'est tenue, convoquée par le rédacteur en chef Brasillach, retour du front de l'Est où il avait accompagné l'ambassadeur Brinon. Brasillach proposa de prendre dès maintenant des mesures pour le cas d'un effondrement allemand. Il affirma qu'il avait pour sa part déjà arrêté toutes dispositions pour rejoindre cette Espagne qui avait été si accueillante pour lui en été 1939, quand le bruit fait par l'affaire Abetz lui avait fait craindre son arrestation. Il proposa de partager entre les collaborateurs la « réserve de pain » de *Je Suis Partout,* un lingot d'or. Cette proposition fut en général bien accueillie, mais la majorité ajouta qu'on ne devait pas oublier que le capital actions du journal représentait une valeur qu'il fallait réaliser au plus vite avant de mettre en action le « dispositif de décrochage ». Claude Jeantet affirma qu'il tiendrait jusqu'au bout et défendrait malgré tout « ses idées ». *Je Suis Partout* du 1er octobre a sanctionné cette réunion (et ce désaccord) en annonçant que Brasillach avait quitté la rédaction du journal ainsi que Bardèche et Georges Blond. Brasillach collabore pourtant encore à un nouvel hebdomadaire *La Révolution Nationale* avec Drieu la Rochelle, sabordeur de la *Nouvelle Revue Française.* Avant de quitter *Je Suis Partout,* M. Brasillach avait pris soin de se faire régler un arriéré se montant à plusieurs dizaines de milliers de francs. »

57. — « Le coup des faux », ainsi titre *Le Franc-Tireur,* édition de Paris, du 30 mai 1944 : « Une fois de plus, nous pouvons prendre aujourd'hui la propagande hitléro-vichyste en flagrant délit de faux caractérisé : C'est le 5 janvier 1944 que Marcel DÉAT consacrait les trois colonnes de son éditorial de *L'Œuvre* à un « récent numéro du *Courrier de l'Air,* le journal apporté par la R.A.F., en date du 16 décembre ». Numéro dans lequel s'étale en première page une approbation du discours Smuts constatant la mort de la France, puis des articles avouant « la prépondérance indiscutée de Staline » ou glorifiant l'assassinat de Maurice Sarraut. Puis c'est Philippe Henriot qui daigne citer in extenso au cours de ses exhibitions radiophoniques, plusieurs passages du même *Courrier.* Or ce numéro, où sont concentrées si opportunément toutes les platitudes de la propagande de Goebbels est *un faux.* Imprimé à Paris, il fut répandu à profusion sur la capitale par les soins de la Luftwaffe. L'authentique numéro du *Courrier de l'air* en date du 16 décembre, que nous avons entre les mains, ne lui ressemble évidemment en rien et nous y trouvons un message à la France à la place du discours Smuts,

un article sur la guerre sous-marine à la place de la conférence de Téhéran. Nous étions déjà fixés sur la probité de ces Messieurs. Mais quel tableau que celui de ces pauvres types confectionnant misérablement de faux journaux alliés qu'ils réfutent ensuite victorieusement en s'excitant à froid ! Et quel aveu d'impuissance ! »

58. — Dans l'article déjà cité de Jean Crémieux-Brilhac, relevons ces lignes encore : « La presse clandestine avait pris une telle place dans la Résistance française et vis-à-vis de l'opinion mondiale, qu'un service fut créé au Commissariat à l'Intérieur de Londres, pour correspondre avec elle et l'alimenter en informations sur le monde libre. A partir de la fin de 1942 et d'une manière systématique à partir de 1943, il y eut désormais chaque mois au départ de Londres un volumineux courrier d'informations polycopiées à l'adresse de chacun des principaux journaux des partis, des mouvements et, par la suite, des principaux réseaux de renseignements : au total une cinquantaine de destinataires durant les derniers mois. Cette documentation établie principalement par Jean-Paul de Dadelsen (avec la collaboration de Jacques Kayser pour la partie internationale) était contrôlée par Georges Boris et André Philip, puis E. D'Astier, soumise au visa de la censure anglaise et distribuée avant expédition aux délégués de la Résistance présents à Londres. Non seulement elle ne comportait aucune directive politique (et d'ailleurs les Mouvements l'auraient-ils tolérée ?), mais je puis certifier qu'il n'est jamais parti vers la France, à l'intention des journaux clandestins, ni un article tout fait, ni un flan d'imprimerie (pratique à laquelle plus d'un gouvernement réfugié à Londres recourait cependant). Mais quelle récompense ensuite lorsqu'un courrier ultérieur apportait la preuve que les documents expédiés avaient été jugés utiles, avaient été reproduits et rediffusés ! Le numéro des *Cahiers du Témoignage chrétien* consacré à l'Alsace, était la reproduction presque intégrale d'un envoi du Service de Diffusion de Londres. A peu près toutes les informations qui passèrent dans la presse clandestine sur la situation en Europe Centrale, et à partir de juin 43, sur la vie en Afrique du Nord, n'avaient pas d'autre origine. Des numéros entiers du *Bulletin d'Information de la France Combattante* (créé par Georges Bidault), ou du *Bimur*, ces admirables bulletins d'agences clandestines, furent consacrés au courrier de Londres. »

Le titre du chapitre : 1942. — *La Nation se rassemble*, est extrait du discours prononcé à Londres, le 11 juin 1942, par le Général de Gaulle : « La Nation, écrasée, trahie, souffletée, se rassemble dans la volonté de vaincre... »

Le titre du chapitre : 1943. — *La France qui se bâtit dans l'épreuve...* est extrait du discours prononcé à Londres, le 13 janvier 1943, par le Général de Gaulle : « ... cette France nouvelle, cette France dure et fière qui se bâtit dans l'épreuve ».

PRINCIPALES ABRÉVIATIONS

A.I.D.	Agence d'Information et de Documentation.
B.B.C.	British Broadcasting Company.
B.C.R.A.	Bureau Central de Renseignements et d'Action (Londres).
B.I.M.U.R.	Bulletin Intérieur des Mouvements Unis de Résistance.
B.I.P.	Bureau d'Information et de Presse.
C.F.L.N.	Comité Français de la Libération Nationale.
C.F.T.C.	Confédération Française des Travailleurs Chrétiens.
C.G.E.	Comité Général d'Études.
C.G.T.	Confédération Générale du Travail.
C.N.D.	Réseau « Confrérie Notre Dame ».
C.N.R.	Conseil National de la Résistance.
C.O.S.O.R.	Comité des Œuvres Sociales des Organisations de Résistance.
D.F.	Défense de la France.
F.F.I.	Forces Françaises de l'Intérieur.
F.N.	Front National.
F.T.P.F.	Francs-Tireurs et Partisans Français.
F.U.J.	Forces Unies de la Jeunesse.
M.L.N.	Mouvement de Libération Nationale.
M.U.R.	Mouvements Unis de Résistance.
O.C.M.	Organisation Civile et Militaire.
O.C.M.J.	Organisation Civile et Militaire des Jeunes.
O.P.G.	Office de Publicité Générale.
P.P.F.	Parti Populaire Français (Doriot).
R.A.F.	Royal Air Force.
S.T.O.	Service du Travail Obligatoire.
U.F.I.D.	Union Française d'Information et de Diffusion.
Z.N.	Zone Nord.
Z.O.	Zone Occupée.
Z.S.	Zone Sud.

LES FORMATS

Quelques chiffres, à titre d'exemple, donneront une idée des formats utilisés par la presse clandestine.

Le format le plus fréquemment utilisé est celui du papier commercial : 21 × 27 centimètres. C'est celui de *Résistance* (Musée de l'Homme) multigraphié sur 6 ou 8 pages, recto verso, ou de *La France intérieure*, tiré dans les mêmes conditions en gros cahiers solidement agrafés de 60 à 70 pages. C'est celui, sur 2 ou 4 pages, de *Franc-Tireur*, de *Défense de la France*, de *Libération*, de *La Nouvelle République* (Patriam Recuperare), et, lorsqu'elles sont imprimées, des *Lettres françaises* sur 8 pages.

Combat utilise aussi ce format, mais certains numéros sont sur 17 × 25 (4 pages) et d'autres sur 25 × 32 (2 pages).

Il y a des variantes, à quelques centimètres près : *Front national*, *L'Humanité* sont souvent sur 21 × 31 ; celle-ci, imprimée, a de nombreux numéros sur 21,5 × 27,5. Ou bien *Front national* (2 pages) est sur 22,5 × 28, sur 23 × 31,5. *Libération* (Sud), *Le Franc-Tireur* (Sud) tirent parfois sur 22 × 28.

Résistance (le troisième à porter ce titre, à partir d'octobre 1942) est, un peu plus grand, sur des feuilles de 25 × 32, et sur 4 pages.

Bir Hakeim adopte un format nettement différent : 28 × 44.

Les *Cahiers du Témoignage chrétien* sont en fascicules d'un format approximatif de 14 × 22 centimètres. Le *Courrier français du Témoignage chrétien* est d'abord, en cahiers, présenté sur ce même format ; puis, il adopte, sur 2 pages recto verso, le format 28 × 45.

L'Université libre, lorsqu'elle est imprimée sur 4 pages, est sur 16 × 24, comme *La Défense des prisonniers*, sur 4 pages aussi.

Le livre résistant est sur 14 × 21 (4 pages), comme *Action*.

Les *Cahiers de l'O.C.M.*, en épais fascicules, sont sur 12,5 × 17.

L'Éternelle Revue, sur 16 pages, est au format 10,5 × 13,5, comme les *Cahiers du Travaillisme français*, sur 40 pages.

LE CHOIX DES ÉPIGRAPHES

Nombreux sont les journaux clandestins qui retiennent une citation et la reproduisent en épigraphe en tête de chaque numéro. En voici un choix. Le Général de Gaulle y apparaît cinq fois et, par antithèse, Pétain deux fois stigmatisant les mensonges... Foch est cité quatre fois et Clemenceau trois fois — ce sont les leçons de la première guerre mondiale qui demeurent vivantes. Mais Napoléon n'est pas oublié et la même phrase demeure fidèlement en exergue de plusieurs publications successives du M.L.N. Parmi les gloires militaires de la France, voici : Lyautey et même Turenne. Les écrivains sont en bonne place aussi : Victor Hugo (deux fois cité), Pascal, Péguy, Rabelais. Et les grands hommes étrangers sont noblement représentés par Guillaume d'Orange et par Gœthe. Cette anthologie n'est-elle pas significative ?

Action (1943), Au début était l'action — *Gœthe.*

Avenir (1943), Quand une Nation s'appelle la France elle ne capitule pas pour trois batailles perdues — *Clemenceau.*

Bir Hakeim (1943), Notre seul but est de rendre la parole au peuple français — de *Gaulle.*

Bulletin M.L.N.(1941), puis *Les Petites Ailes, les Petites Ailes de France, Résistance* — Vivre dans la défaite c'est mourir tous les jours — *Napoléon* Ier.

Ceux de la Libération (1944), On n'est vaincu que quand on accepte de l'être — *Foch.*

Combat (1941), Dans la guerre comme dans la paix le dernier mot est à ceux qui ne se rendent jamais — *Clemenceau.*

Combat du Languedoc et du Roussillon (1943), On ne s'est jamais trompé en ne désespérant pas de la France — de *Gaulle* (9.1.41).

Le Coq enchaîné, Il n'est pas nécessaire d'espérer pour entreprendre ni de réussir pour persévérer.

Défense de la France (1941), Je ne crois que les histoires dont les témoins se feraient égorger — *Pascal.*

Le Dernier quart d'heure (1944), Celui-là sera victorieux qui tiendra un quart d'heure de plus que l'autre — *Foch.*

Il y a une arme plus terrible que la calomnie, c'est la vérité — *Talleyrand.*

Le choix des épigraphes

L'Espoir (Le Populaire du Sud-Est) (1943), Point n'est besoin d'espérer pour entreprendre, ni de réussir pour persévérer.

L'Essor (1944) n° 1, On ne fait rien de bien sans une parcelle d'amour — *Lyautey.*

n° 2, Il ne faut pas qu'il y ait un homme de guerre en repos en France tant qu'il y aura un Allemand de ce côté-ci du Rhin — *Turenne.*

L'Étudiant patriote (1941), Heureux ceux qui sont morts pour quatre
[coins de terre.
Mais pourvu que ce fût dans une juste guerre.
Péguy.

La France au combat (1943), C'est la fierté de ceux qu'on a mis à la chaîne.
De n'avoir désormais comme abri que la
[haine. — *Victor Hugo.*

La France libre (1943), On n'est vaincu que quand on accepte de l'être — *Foch.*

Gavroche (1944), Il n'avait pas de gîte, pas de pain, pas de feu, pas d'amour ; mais il était joyeux parce qu'il était libre — *Victor Hugo.*

L'Heure H (Le Havre) (1943), Vulnerant omnes, ultima necat.
Toutes les heures blessent, la dernière tue.

L'Insurgé (Lyon) (1943), Vivre en travaillant ou mourir en combattant — Les Canuts de Lyon, 1830.

Libération (Z.N.) (1940 mais seulement à partir de 1943), Notre seul but est de rendre la parole au peuple français — de *Gaulle.*

Liberté (Marseille) (1940), Un peuple n'est vaincu que lorsqu'il accepte de l'être — *Foch.*
Je hais le mensonge, on ne mentira plus à ce pays — *Pétain.*

Notre Guerre (1942), La France a perdu une bataille, elle n'a pas perdu la guerre — de *Gaulle.*

Pantagruel (1940), « Jamais ne se tourmentait, jamais ne se scandalisait. Ainsi eût-il été forissu du déifique manoir de raison, si autrement se fût contristé ou altéré. Car tous les biens que le ciel couvre et que la terre contient en toutes ses dimensions ne sont dignes d'émouvoir nos affections et troubler nos sens et esprits... » ... ainsi parlait Pantagruel — *Rabelais.*

Les Petites Ailes (Z.N.O.) et *Les Petites Ailes de France* puis *Résistance*, Vivre dans la défaite c'est mourir tous les jours — *Napoléon I*er.

Le Tigre (1942), Je fais la guerre — Clemenceau.

L'Unité combattante (1944), Pour les Français où qu'ils soient et quels qu'ils soient le devoir simple et sacré est de combattre par tous les moyens dont ils disposent — de *Gaulle.*

Vérités (1941), Je hais les mensonges qui vous ont fait tant de mal — *Philippe Pétain.*

SOURCES ET BIBLIOGRAPHIE SOMMAIRE

SOURCES

Bibliothèque nationale.

Bibliothèque de documentation internationale contemporaine et Musée de la grande guerre.

Comité d'histoire de la deuxième guerre mondiale.

Centre de documentation française, de la Présidence du Conseil.

Archives privées.

Témoignages.

BIBLIOGRAPHIE SOMMAIRE

ARAGON, *Le crime contre l'esprit* (Les Martyrs) par LE TÉMOIN DES MARTYRS, Éditions de Minuit, 1944.

ARON (Robert) avec la collaboration de ELGEY (Georgette), *Histoire de Vichy*, 1940-1944, Paris, Fayard, 1954.

BAUDOT (Marcel), *L'Opinion publique sous l'occupation*, Paris, Presses Universitaires de France, 1960.

BIDAULT (Georges), « Hommage à Jean Moulin » in *Revue d'Histoire de la 2ᵉ guerre mondiale*, nᵒ 1, novembre 1950.

BIEBER (Konrad F.), *L'Allemagne vue par les écrivains de la Résistance française*, préface d'Albert Camus, Paris, E. Droz, Lille, Giard, 1954.

BLOCH (Marc), *L'étrange défaite*, témoignage écrit en 1940 suivi de *Écrits clandestins*, 1942-1944, Avant-propos de Georges ALTMAN, Paris, Albin Michel, 1957.

BLOCQ-MASCART (Maxime), *Chroniques de la Résistance* suivies d'études pour une nouvelle révolution française par les groupes de l'O.C.M., Paris, Corréa, 1945.

BOURDAN (Pierre), *Commentaires (1940-1943)*, Paris, Calmann Lévy, 1947.

Sources et bibliographie sommaire

BRUNEAU (Françoise), *Essai d'historique du mouvement né autour du journal clandestin Résistance*, Paris, S.E.D.E.S., 1951.

CALMETTE (A.), *L'O.C.M. Histoire d'un mouvement de Résistance*, Paris, Presses Universitaires de France, (à paraître).

Catalogue des périodiques clandestins diffusés en France de 1939 à 1945, suivi d'un catalogue des périodiques clandestins diffusés à l'étranger, avec une Introduction de R. et P. ROUX-FOUILLET, Paris, Bibliothèque nationale, 1954.

Chronologie de la Résistance française (1940-1945), Paris, Comité d'histoire de la 2e guerre mondiale, 1959.

COCHET (Gal), *Appels à la Résistance lancés par le Général Cochet 1940-1941*, Préface de Jean Nocher, Paris, Gallimard, 1945.

DANGON (Georges), « La presse clandestine et les ouvriers du livre » in *Le Courrier graphique*, V. n° 27, septembre-octobre 1946.

DEBU-BRIDEL (Jacques), *Les Éditions de Minuit, historique et bibliographie*, Paris, Éd. de Minuit, 1945.

Emprise allemande sur la pensée française. Commission consultative des dommages et réparations, Imprimerie nationale, Paris, 1947.

Épreuves dans l'ombre. Textes de François Mauriac, Georges Duhamel, Paul Eluard, Jacques Maritain, Jean Cassou, Claude Aveline, Jean Paulhan, Vercors, Jean Schlumberger, André Ulman, Michel Bernstein, Illustrations de Jean Chièze, J.-G. Daragnès, D. Galanis et Ed. Georg, Groupe parisien de l'Imprimerie clandestine, Jacques Haumont, éd., 1946.

FRENAY (Henri), *Combat*, Paris, Denoel, 1946.

GRANET (Marie) et MICHEL (Henri), *Combat. Histoire d'un mouvement de Résistance de juillet 1940 à juillet 1943*, Paris, Presses Universitaires de France, 1957.

GRANET (Marie), *Défense de la France. Histoire d'un mouvement de Résistance (1940-1944)*, Paris, Presses Universitaires de France, 1960.

HOSTACHE (René), *Le Conseil National de la Résistance. Les institutions de la clandestinité*, Paris, Presses Universitaires de France, 1958.

HUMBERT (Agnès), *Notre guerre*, Paris, Émile Paul, 1946.

Imprimeries clandestines. Textes de Jean Cassou, Claude Morgan, Vercors, Yvonne Desvignes, Forestier, Georges Sadoul, André Wurmser, Pierre Chaillet, S.J., Jean Marcenac, Le Point, Souillac (Lot), 1945.

JACQUELIN (André), *Toute la Vérité sur le journal clandestin gaulliste « Bir-Hakeim »*, Préface de Gabriel Reuillard, Paris, Éd. de Kérénac, 1945.

Les lettres françaises clandestines, Rééditées en fac-similé, Paris, 1946.

MICHEL (Henri), *Histoire de la Résistance*, Paris, Collection Que Sais-je ?, Presses Universitaires de France, 1950.

Sources et bibliographie sommaire

MICHEL (Henri) et MIRKINE-GUETZÉVITCH (Boris), *Les Idées politiques et sociales de la Résistance*, Préface de Georges Bidault, Avant propos de Lucien Febvre, Paris, Presses Universitaires de France, 1954.

MICHEL (Henri), « La presse clandestine, expression de la pensée de la Résistance ? » in *Bull. de la Société d'histoire moderne*, 55ᵉ année, nᵒ 18, mars-avril 1956.

MOREL (Robert), *La littérature clandestine, 1940-1944*, Périgueux, P. Fanlac, 1945.

OBERLÉ (Jean), « *Jean Oberlé vous parle...* » *Souvenirs de cinq années à Londres*, Paris, La Jeune Parque, 1945.

OZOUF (René), *Pierre Brossolette, héros de la Résistance*, Paris, Gedalge, 1946.

PARROT (Louis), *L'intelligence en guerre (Panorama de la pensée française dans la clandestinité)*, Paris, La Jeune Parque, 1945.

PASSY (Colonel), *Souvenirs* : I. 2ᵉ Bureau, Londres — II. 10 Duke Street, Londres, Monte Carlo, R. Solar, 1947.

PASSY (Colonel), *Missions secrètes en France. Souvenirs du B.C.R.A. (nov. 1942-juin 1943)*, Paris, Plon, 1951.

PINEAU (Christian), *La simple vérité*, 1940-1945, Paris, Julliard, 1960.

PIQUET (Georges), *La vie secrète de la Résistance : presse clandestine* (32 pages), Paris, Nathan, 1945.

PIQUET-WICKS (Éric), *Quatre dans l'ombre*, Paris, Coll. l'Air du Temps, Gallimard, 1957, [Jean Moulin, Fred Scamaroni, Henri Labit et Pierre Brossolette].

POLONSKI (Jacques), *La presse, la propagande et l'opinion publique sous l'occupation*, Paris, Éd. du Centre de documentation juive contemporaine, 1946.

QUÉVAL (Jean), *Première page, cinquième Colonne*, Paris, A. Fayard, 1945.

REMY (Colonel), *Mémoires d'un agent secret de la France libre* (2 vol.), Paris, Ed. France Empire, 1959.

ROSSI (A.), *Sous l'occupation. La guerre des papillons. Quatre ans de politique communiste 1940-1944*, Paris, Les Iles d'or, 1954.

ROSSI (A.), *Une page d'histoire : les communistes français pendant la drôle de guerre*, Paris, Plon, 1951.

RUDE (F.), « Une revue clandestine née dans la région Rhône-Alpes : La France intérieure » in *Annales de l'Université de Grenoble*, t. XXII, 1946.

SCHNEIDER (Camille), *L'Alsace, journal libre.* Reproduction du journal clandestin écrit et diffusé à Strasbourg du 11 novembre 1940 au 19 novembre 1944, Strasbourg, 1946.

SOUSTELLE (Jacques), *Envers et contre tout.* I. De Londres à Alger (1940-1942) — II. d'Alger à Paris. Souvenirs et documents sur la France libre, (1942-1944), Paris, R. Laffont, 1947 et 1950.

Témoins qui se firent égorger (Les). Coll. Défense de l'homme, Paris, Éd. Défense de la France, 1946.

Sources et bibliographie sommaire

TEXCIER (Jean), *Écrit dans la nuit*, Paris, La Nouvelle édition, 1945.

TEXCIER (Jean), *Un homme libre (1888-1957)*, Paris, Albin Michel, 1960.

THOREZ (Maurice), *Les communistes français pendant la deuxième guerre mondiale, oct. 1939-juillet 1944*, Paris, Éditions Sociales, 1959.

VERDIER (Robert), *La vie clandestine du parti socialiste*, Paris, Éd. de la Liberté, 1944.

[VIANNAY (Philippe)], INDOMITUS, *Nous sommes les rebelles*, Paris, Coll. Défense de l'homme, 1945.

WALTER (Gérard), *La vie à Paris sous l'occupation. 1940-1944*, Paris, Coll. Kiosque, A. Colin, 1960.

« La plus belle réussite de la Résistance. Une révolution capitale : la rénovation de la presse française « de la clandestinité à la légalité » », in *Le Courrier graphique*, V. n° 27, sept.-oct., 1946.

« Fédération nationale de la presse clandestine (La) » in *Le Courrier graphique*, V. n° 28, nov.-déc., 1946.

L'auteur tient à remercier ici Reinhard FREIBERG pour toute l'aide qu'il lui a apportée dans la recherche de la documentation.

INDEX DES PÉRIODIQUES CITÉS

Sources et bibliographie sommaire

Combat du Languedoc et du Roussillon, 167.

Combat illustré, 128.

Combats, 163.

Commune, 123.

Coq enchaîné (Le), 106 (239).

Courrier de l'Air, (245).

Courrier français du Témoignage chrétien (Le), 90, 165, 174, 201, 225.

Courrier de France, 172 (243).

Cri du peuple (Le), 49.

Défense de la France, 84, 90, 112, 128, 154, 157, 164, 176, 207, 211 (243).

Défense des prisonniers (La), 218.

Délivrance, 219.

Demain, 63.

Démocratie (La), 206.

Dernières nouvelles de Paris (Les), 15.

Destin, 219.

Documents, 199.

Drôme en armes (La), 230.

Éclaireur de Nice et du Sud-Est (L'), 12, 14.

École de Bara (L'), 217.

École du grand Paris (L'), 216.

École laïque (L'), 215.

École libératrice (L'), 216.

École et liberté, 216.

Écran français (L'), 214.

Éditions de minuit, 6.

Effort (L'), 171, 218.

Elsass (Das), 43.

En avant, 219.

Enchaîné (L'), 45.

Espoir, 110, 132.

Espoir (L') Le Populaire du Sud-Est, 167.

Esprit, (242).

Essor, 218.

Étendard (L'), 43.

Éternelle revue (L'), 206 (242).

Étoiles (Les), 127, 181 (237).

Étudiant patriote (L'), 49.

Éveil des peuples (L'), 206.

Express documents, 120.

Femmes de prisonniers, 219.

Femmes françaises, 218.

Figaro (Le), 134.

Flamme (La), 167.

Flèche (La), 95.

Forces unies de la Jeunesse, 175.

France (La), 176.

France au combat (La), 176.

France continue (La), 69, 78.

France d'abord, 101, 167.

France de demain, 219.

France intérieure (La), 228.

France, libère-toi !, 43.

France libre, 63, 159.

France socialiste (La), 15.

France au travail (La), 15.

Franc-Tireur (Le), 92, 102, 104, 108, 119, 128, 146, 149, 151, 154, 160, 162, 165, 172, 175, 190, 197, 206, 208, 211, 223, 226, 230 (237) (239) (243) (244) (245).

Fraternité, 120.

Front national, 151, 176, 230.

Galibot (Le), 218.

Gavroche, 175.

Gazette des Ardennes (La), 7 (235).

Gazette du Comité de libération nationale, 230.

Gerbe (La), 18, 190.

Heure H (L'), 166.

Homme libre (L'), 45, 79.

Sources et bibliographie sommaire

Police et Patrie, 219.

Populaire (Le), 90, 100, 110, 148, 157, 167, 212, 227, (236) (241) (244).

Populaire du Bas-Languedoc (Le), 167.

Populaire dimanche (Le), 241.

Populaire du Midi (Le), 167.

Progrès de Lyon (Le), 113, 134 (241).

Quatrième république (La), 45.

Reich (Das) 126, 222.

Renaissance du Bessin (La), 230.

République combattante (La), 218.

Résistance (Musée de l'Homme), 49, 54, 125, 128 (237).

Résistance (Libération Nationale), 66, 128, 239.

Résistance (Journal de Paris), 128, 131, 136, 151, 162.

Résistance ouvrière (La), 147.

Révolution nationale, 141 (245).

Revue libre (La), 176.

Salut public (Le), 170.

Scène française (La), 215.

Socialisme et Liberté, 90, 110, 157.

Soir (Le), 184.

Soldat im Westen, 219.

Spiegel der französischen Presse, 186.

Terre (La), 218.

Tigre (Le), 112.

Tribune républicaine (La), 11.

Union Française d'information et de diffusion, 199 (245).

Université de demain, 217.

Université libre (L'), 48, 123, 217, 226.

Vaincre, 215.

Valmy, 57, 62, 131 (238).

Vengeur (Le), 168.

Vérité (La), 31, 66.

Vérité française (La), 43.

Vérités, 66, 88, 90, 94.

Vie du parti (La), 199.

Vie ouvrière (La), 218.

Vie socialiste (La), 27.

Voix du Nord (La), 79, 209 (244).

Volontaires de la paix (Les), 206.

———

Les pages entre parenthèses correspondent aux Annexes et notes.

———